# ANIMAUX
## EXTRAORDINAIRES

*En couverture* : ce papillon presque transparent du Venezuela
appartient à la famille des Ithomiidés.

*Page suivante* : l'araignée-crabe de Bornéo.

© Éditions Flammarion, 2004
Tous droits réservés.

N° d'édition : FT 126301
ISBN : 2-0820-1263-8
Dépôt légal : octobre 2004

www.editions.flammarion.com

Textes de Sylvain Mahuzier

Photographies de Biotope

# ANIMAUX
## EXTRAORDINAIRES

Flammarion

# SOMMAIRE

*Page précédente à gauche* : ce phelsuma du sud-est de Madagascar se croit à l'abri derrière une feuille de pandanus.

*À droite* : ce gecko nocturne de Bornéo se tapit contre l'écorce des arbres pendant la journée.

*Double page suivante à gauche* : une dendrobate – grenouille tropicale – sur le sol d'une forêt marécageuse du Costa Rica.

*À droite* : une des nombreuses espèces de tangara fréquentant la forêt de brume de Rancho Grande au Venezuela.

# AVANT-PROPOS

L'extraordinaire ne manque pas au sein du règne animal. Les adaptations physiologiques, morphologiques ou comportementales des animaux nous laissent souvent bouche bée, tellement elles sont inattendues ou insolites. Même si nous n'oublions pas que ces adaptations ne sont en aucun cas la conséquence d'une quelconque volonté ou réflexion de la part de ces êtres vivants, mais le résultat de la sélection naturelle, même si nous savons pertinemment que seuls les animaux les mieux adaptés ont pu se développer et survivre, nous ne pouvons nous empêcher de nous émerveiller devant le « génie » de la nature.

Comment ne pas rester pantois, en effet, devant l'extraordinaire diversité des couleurs revêtues par les dendrobates, ces petites grenouilles hautement toxiques ? Comment ne pas être impressionné par les talents de camouflage inouïs des phasmes, « insectes-brindilles », ou des araignées-crabes qui deviennent en quelques jours jaune vif au cœur des fleurs non moins jaune vif, afin de surprendre leurs proies ? Et l'extraordinaire langue du caméléon qui capture ses proies à distance ? Et l'ordonnancement sans faille des fourmis légionnaires ? Et cet organe du spermaceti, qui permet au cachalot d'aller livrer des combats épiques contre les calmars géants au fin fond des océans ? Les exemples sont légion, et tous aussi édifiants les uns que les autres… Nous les évoquerons à travers quelques thèmes de réflexion mettant en exergue ces animaux extraordinaires : l'usage des couleurs, le camouflage et le mimétisme, quelques adaptations et morphologies étonnantes, les associations, rassemblements et voyages hors du commun…

La couleur fait partie de notre vie, car nous avons la chance de percevoir les teintes les plus diverses et leurs nuances les plus délicates dans la nature. Mais quelle en est la finalité ? Pourquoi les animaux peuvent-ils être parés de toute la gamme de l'arc-en-ciel ? La réponse est écologique, au sens propre du terme, puisque l'animal utilise les couleurs dans ses relations avec son environnement proche. Couleurs pour avertir que l'on est toxique, couleurs pour effrayer, couleurs pour se reconnaître et bien sûr couleurs pour séduire, elles sont devenues, au cours de l'évolution, les instruments de la survie de nombreuses espèces.

Camouflage et mimétisme participent d'un ensemble de stratégies consistant à se fondre dans son environnement ou à se faire passer pour ce que l'on n'est pas, stratégies utilisées tant par les prédateurs qui veulent tromper les proies que par les animaux qui veulent échapper à leurs prédateurs en les dupant. Passer pour une écorce, se déguiser en feuille ou en brindille, devenir quasi invisible sur fond de rocher ou de neige, ou encore imiter un plus dangereux que soi, tout est possible pour abuser ceux que l'on craint ou ceux que l'on convoite.

La survie d'une espèce dépend de ses facultés d'adaptation à son environnement. La sélection naturelle a ainsi mis en évidence bien des stratagèmes, bien des astuces et bien des armes secrètes pour se mesurer à un ennemi ou affronter les milieux extrêmes ou inhospitaliers. Certaines formes inventées par la nature sont particulièrement étranges, d'autres nous saisissent par leur ancienneté,

*Page suivante* : une échasse blanche regagnant son nid.

restées les mêmes après plusieurs millions d'années, semblant venir du fond des âges…

Symbioses et associations entre espèces sont l'objet de multiples exemples dans la nature ; couples insolites, simple cohabitation ou collaboration active et réciproque. Au sein de la même espèce peuvent se produire des rassemblements peu ordinaires, qui permettent aux individus de bénéficier des avantages de la vie en groupe, depuis la simple chasse collective jusqu'aux sociétés d'insectes à

l'organisation très poussée. Enfin, il convient de rappeler à quel point les périples de certains migrateurs sont fantastiques, à l'image de la sterne arctique, fabuleuse voyageuse au long cours qui se paye le luxe d'un aller-retour arctique-antarctique, chaque année !

Entrons dans l'univers des animaux extraordinaires, et passionnons-nous ; l'émerveillement est devenu un sentiment trop rare pour que nous laissions échapper les petits plaisirs de la connaissance et de l'enrichissement personnel, dont la nature est une source inépuisable…

# COULEURS EXTRAORDINAIRES

Les animaux peuvent se parer des couleurs les plus diverses. Elles sont dues à des pigments, comme la mélanine qui donne aux écailles, aux poils et aux plumes leurs coloris sombres, ou comme les caroténoïdes jaunes, rouges et orange que les animaux acquièrent en se nourrissant des végétaux qui les synthétisent.

Ces couleurs peuvent aussi être créées par réflexion ou réfraction de la lumière, illuminant plumages et écailles. L'épiderme des grenouilles, des serpents, lézards et caméléons, ainsi que les ailes de nombreux papillons ou oiseaux, sont recouverts d'une couche qui renvoie les rayons lumineux.

La couleur des animaux peut jouer un rôle de protection contre les rayons ultraviolets du soleil, de régulation de la chaleur. Dans certains cas, elle peut aussi assurer une protection mécanique : les chercheurs ont mis en évidence que les plumes noires des oiseaux étaient plus résistantes aux frottements et à l'abrasion que les plumes blanches.

*Ci-contre* : l'Eurycère de Prévost,
joyau des forêts humides du nord-est de Madagascar.

Mais en plus de ces fonctions physiologiques, la pigmentation joue un rôle très important dans les relations de l'animal avec son environnement, assumant ainsi une fonction écologique : elle conditionne sa vie, sa mort et la perpétuation de son espèce. Elle peut le rendre moins visible dans son biotope, on parle alors de camouflage, ou au contraire le mettre en évidence. L'animal paré de couleurs vives attire l'attention sur sa toxicité, ou simplement veut effrayer l'intrus. Mais ses couleurs peuvent aussi permettre à ses congénères de l'identifier, ou encore avoir un rôle de séduction…

## DES COULEURS POUR SE RECONNAÎTRE

Les couleurs et la manière dont elles sont disposées sont fondamentales dans la reconnaissance entre espèces, et surtout au sein d'une même espèce. De nombreux insectes, amphibiens, reptiles, oiseaux ou animaux marins utilisent à cet effet des couleurs vives.

Les poissons coralliens évoluent dans des eaux très claires au sein desquelles les couleurs sont plus faciles à distinguer. Ce festival de couleurs assure la reconnaissance des individus d'une même espèce et la territorialité. Il existe une telle quantité d'espèces, sous les tropiques, que seules les couleurs propres à chacune permettent aux poissons de ne pas faire de confusions et d'affirmer leur territoire.

Le paysage étonnant d'un massif corallien offre un éventail de couleurs tellement extraordinaire que le visiteur en garde un souvenir impérissable : poissons-anges, poissons-perroquets, poissons-chirurgiens et bien d'autres rivalisent de beauté par les contrastes,

*Ci-contre en haut* : les lignes brillantes du Poisson-Crayon de Beckford permettent aux individus d'un même banc de rester groupés dans les eaux sombres de l'Amazonie.

*En bas* : cette photo montre ce que voient les poissons lorsque la lumière est très faible.

les nuances et les harmonies de leurs coloris. Pas difficile de comprendre d'où le poisson Picasso tient son nom ! Cette polychromie étonnante, les couleurs vives et brillantes et les dessins qui ornent la livrée des poissons coralliens sont autant de signes et d'informations qui leur permettent de communiquer. Ainsi la livrée caractéristique d'un couple de poissons-papillons, habituellement unis pour la vie, favorise probablement leur fidélité : ils ne se perdront pas de vue dans le labyrinthe du massif corallien !

Les poissons qui voyagent en bancs et restent étroitement groupés n'ont que rarement des parures éblouissantes, qui leur seraient peu utiles. Ce sont les individus non grégaires, plus solitaires et dispersés dans un milieu de couleur uniforme, qui arborent une livrée éclatante, reconnue à coup sûr par ceux de leur espèce.

Dans les eaux douces et très sombres, celles du bassin de l'Amazone par exemple, les couleurs vont servir de signe de ralliement : le tétra feux de position doit son nom amusant aux deux petites taches de couleur vive qu'il arbore à l'avant et à l'arrière de son corps. Grâce à elles ses congénères pourront le reconnaître, malgré le peu de lumière ambiante. Pour les mêmes raisons, de nombreuses espèces vivant dans ces milieux s'habillent de bandes noires ou colorées, longitudinales ou verticales, déterminant autant de codes d'identification.

La reconnaissance grâce aux couleurs semble également possible entre espèces : les requins acceptent-ils les poissons-pilotes à leurs côtés parce qu'ils reconnaissent les larges bandes qui marquent leur dos sombre et leurs flancs ?

### Les oiseaux, un univers de couleurs

Alors que les mammifères privilégient l'odorat, les oiseaux vivent dans un univers visuel. C'est la vision, et aussi l'ouïe, qui constituent leurs moyens essentiels de communication. Ils bénéficient d'une excellente

*En haut et en bas* : le chardonneret
est l'un de nos petits oiseaux les plus colorés.

13

vision des couleurs, et on peut imaginer que c'est la raison pour laquelle ils ont développé, au cours de l'évolution, une grande diversité de colorations, avant tout dans leur plumage. Nous apprécions leurs couleurs d'un point de vue esthétique, mais en réalité elles ont pour les oiseaux une valeur utilitaire, leur tenant lieu de modes d'expression dans la plupart de leurs comportements sociaux ou sexuels.

Le plumage et ses colorations jouent un rôle fondamental dans la vie sociale des oiseaux d'une même espèce. L'un des messages les plus importants a trait à l'identité : le plumage des oiseaux porte des motifs indiquant de manière précise à quelle espèce ils appartiennent. Ainsi, un mâle donné saura si l'oiseau dont il croise le chemin est ou non un congénère.

Lorsqu'on observe le comportement des oiseaux mâles, on réalise à quel point les taches de couleur de leurs plumages leur sont utiles pour affirmer leur territoire et faire en sorte qu'on les identifie clairement. Ainsi le pinson des arbres se perchera bien en vue pour exhiber son plumage chatoyant, de la même façon que la fauvette à tête noire

dressera sa huppe de la même couleur. Sans oublier le rouge-gorge bombant fièrement et ostensiblement sa poitrine couleur de brique, à l'instar des chevaliers du Moyen Âge qui affichaient leur blason…

Chez les rares oiseaux des pays tempérés qui portent des couleurs vives, celles-ci se limitent souvent à des plages localisées du plumage, comme les « miroirs » de nos canards. Sous les tropiques, en revanche, la gent ailée est nettement plus riche en oiseaux brillants et très colorés. Le métabolisme des oiseaux, bénéficiant de conditions énergétiques – lumière et température – plus favorables sous les tropiques, disposerait plus facilement de l'énergie nécessaire à la synthèse des pigments et développerait des schémas de couleurs plus riches. Diversité de marques de reconnaissance d'autant plus utile que les espèces sont bien plus nombreuses en milieu tropical !

### Des femelles aussi belles que les mâles

A priori, les couleurs caractérisant les oiseaux qui ne présentent pas de dimorphisme sexuel leur servent à se reconnaître. La séduction

14

dans ce cas s'opérera par d'autres moyens, comme le chant, les postures adoptées pendant la parade nuptiale, les offrandes…

Le chardonneret élégant, grand amateur de graines de chicorée, de centaurée ou de chardons bien sûr, a une livrée unique en son genre. Sa face rouge cramoisie sur un masque noir et blanc, qui lui donne l'air d'un clown, ses ailes noir et or caractéristiques l'ont rendu très populaire. Il est vif, alerte et enjoué, et chante fort bien, autant de qualités contribuant malheureusement à ce qu'on le retrouve parfois en cage. Mâle et femelle sont pareillement bariolés, et se reconnaissent ainsi du premier coup d'œil. Quant à l'observateur humain, seuls le petit « baiser » bec à bec et la délicate offrande de nourriture entre conjoints lui prouvera qu'il a affaire à un couple…

Un éclair bleu intense fend l'air, puis pique tête la première dans l'eau de l'étang ou de la rivière, remontant avec un petit poisson dans le bec. À l'instar de presque tous les martins-pêcheurs ou martins-chasseurs du monde, le martin européen est paré de couleurs vives : orange vif en dessous, d'origine pigmentaire (caroté-

noïde), et bleu vif métallique sur le dessus du corps, cette fois couleur d'origine physique (due à la structure des plumes et à la réflexion de la lumière). Madame est aussi belle que Monsieur ; seul le bec un peu plus rouge chez la femelle permet de déterminer son sexe, et seulement si on l'observe de très près. En période nuptiale, le mâle repère la femelle à ses couleurs et la courtise en lui faisant de nombreuses offrandes de petits poissons.

Très élégants dans leur costume noir sur le cou et le dos, qui contraste avec leurs flancs roux flamboyant, très raffinés avec un plumeau en éventail couleur d'or juste derrière leur œil rouge vif, les grèbes à cou noir se rencontrent sous nos latitudes, et fréquentent lacs et étangs. Proches des grèbes huppés, ils ne présentent pas non plus de dimorphisme sexuel et leur plumage caractéristique leur

permet d'identifier leur partenaire à coup sûr. Leur parade nuptiale est particulièrement originale et démonstrative.

Plus loin de nous, les nombreuses espèces de toucans parent leur plumage et leurs énormes becs de couleurs éclatantes, diversifiées et réparties de façons différentes selon les espèces. Ils se nourrissent tous de fruits, parcourant de longues distances d'arbre en arbre, dans les forêts tropicales d'Amérique du Sud. Comme ils partagent la même niche écologique, leur différenciation par la couleur s'avère indispensable, favorisant la reconnaissance des individus au sein de la même espèce.

Les tangaras, qui n'existent que dans le Nouveau Monde, comptent environ deux cent quarante espèces, dont la plupart ne présentent pas de dimorphisme sexuel. On trouve dans cette famille quelques-uns des oiseaux les plus colorés au monde.

*Ci-dessus* : Le toucanet hante les forêts de brume des montagnes vénézuéliennes.

*Page suivante* : le guêpier d'Europe, un oiseau d'origine tropicale qui passe l'été dans nos régions.

## À GORGE DÉPLOYÉE

*Lorsqu'ils entendent leurs parents s'approcher du nid (ou tout autre oiseau), les oisillons crient à qui mieux mieux, le bec grand ouvert, pour attirer leur attention. Bien visibles dans la pénombre du nid, leurs gorges écarlates largement déployées jouent le rôle de signaux pour guider les nourrisseurs, mais aussi les stimuler et les presser ! La disposition et les nuances de ces rouges tapissant la cavité buccale sont propres à chaque espèce, et servent donc de cartes d'identité, en plus d'être des balises.*

# DES COULEURS
# POUR AVERTIR

De nombreuses espèces animales affichent des couleurs vives et chatoyantes qui attirent l'œil. Lorsqu'on réalise que ces amphibiens, reptiles, poissons, papillons et autres insectes multicolores pourraient être des proies faciles, on est en droit de se poser la question de l'utilité de ces teintes extraordinaires, allant du fuchsia au turquoise, en passant par l'or et l'émeraude... Ce sont en réalité des couleurs d'avertissement dont la signification est simple et précise : « Attention, danger ! ».

Ce phénomène est appelé « aposématisme » ; il signale la présence de poison cutané, le risque de morsure venimeuse ou une odeur nauséabonde. Ces couleurs « avertissantes » sont obtenues grâce aux caroténoïdes ou à d'autres pigments. Les plus couramment utilisées sont le rouge, le jaune et le noir : on pense que ce sont les longueurs d'ondes auxquelles les animaux sont le plus sensibles.

## Des insectes qui s'affichent non-comestibles

Les animaux aposématiques sont nombreux et appartiennent aux groupes les plus divers, mais c'est peut-être chez les insectes que ces couleurs sont les plus répandues. Tout le monde connaît l'exemple de ces animaux potentiellement dangereux que sont les guêpes et frelons, revêtus d'une livrée noire et jaune que nous apprenons à reconnaître très vite, souvent après une expérience douloureuse... Les coccinelles optent pour le noir, le rouge ou le jaune, et ont très mauvais goût pour les oiseaux.

La Rosalie alpine,
l'un des coléoptères français les plus élégants.

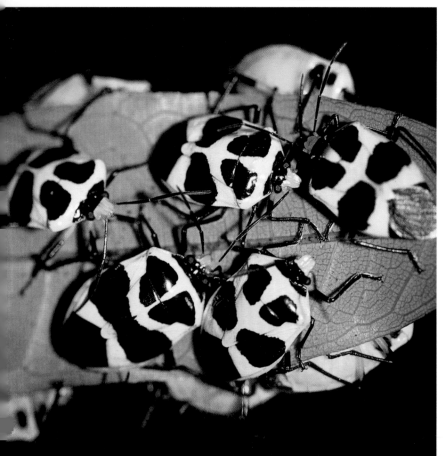

La splendide couleur orange bordée de noir des ailes du papillon monarque, qui migre du Canada au Mexique, signifie bien aux prédateurs qu'il est interdit à la consommation, sous peine d'empoisonnement. La chenille du monarque se nourrit d'asclépiade, l'unique plante sur laquelle la femelle pond ses œufs, et se gorge en même temps du poison contenu dans les feuilles. Lorsqu'il surgit de la chrysalide, le monarque a concentré le poison dans les écailles de ses ailes. L'oiseau inexpérimenté qui capture et mange un de ces papillons, vomit et le recrache. Il s'en souviendra probablement longtemps et, à la prochaine rencontre, il évitera ces proies toxiques.

Les Heliconius, papillons d'Amérique centrale et d'Amazonie, appelés aussi papillons de la passiflore, sont sérieusement toxiques car ils contiennent des dérivés du cyanure. Les couleurs éclatantes de leurs ailes – rouge, orange, jaune et blanc sur noir – véritable mise en garde envers leurs prédateurs, sont si efficaces qu'elles sont souvent copiées dans le monde des papillons. Elles semblent dire : « Goûtez donc, mais à vos risques et périls ! ». De plus, les papillons toxiques d'une même région développent les mêmes schémas de couleur, renforçant ainsi une image saisissante dont les oiseaux se souviennent.

C'est une famille de papillons aux splendides ailes pourpres et noires, les zygènes, qui possède une des substances les plus dangereuses que l'on puisse trouver dans la nature. Les zygènes accumulent peu à peu dans leur corps du cyanure à action foudroyante,

*Ci-contre en haut et en bas* :
les couleurs vives de ces punaises indiquent
qu'elles sont immangeables.

*Page suivante en haut* : un *Heliconius* dans la forêt guyanaise.
*En bas à gauche* : une zygère sur une scabieuse.
*En bas à droite* : l'uranie aux splendides motifs rayés.

qu'elles distillent par les articulations de leurs pattes en cas d'agression. Elles peuvent donc butiner en toute tranquillité.

Être toxique est un bon moyen d'éviter les prédateurs. Encore faut-il le faire savoir ! La punaise des champs, à l'instar de plusieurs membres de sa famille, porte une livrée rayée rouge et noir signalant le danger, et dégage de surcroît une odeur nauséabonde décourageant tout ennemi.

Chez les criquets d'Afrique du Sud, les parties rouges indiquent les endroits d'où ils peuvent dégager, en cas de capture, une substance irritante. Quant aux iules, sortes de mille-pattes tropicaux, leurs anneaux noirs et rouges sont aussi un avertissement pour ceux qui auraient l'imprudence de vouloir les consommer…

### Périls sous-marins très séduisants

Certains poissons vivement colorés sont, eux aussi, très venimeux : c'est le cas du poisson-globe qui porte une belle livrée jaune à pois noirs et dont la tétrodotoxine est mortelle à des doses très faibles. Les poissons-coffres ont pour leur part développé un système de protection particulier : le mucus qui recouvre leur corps est très toxique, et là encore revêt une coloration contrastée, prévenant les agresseurs potentiels du danger. D'ailleurs, les chercheurs se sont aperçus que les carnivores sous-marins, comme les mérous, apprenaient très jeunes que les poissons habillés de teintes voyantes n'étaient pas des proies intéressantes : un apprentissage fondé sur des expériences désagréables…

Somptueuses mais redoutables, les rascasses volantes, ou poissons-scorpions, sont extrêmement venimeuses. Elles en avertissent

*En haut* : cet énorme criquet sud-africain montre par sa couleur rouge vif qu'il est immangeable.

*En bas* : ce criquet aux couleurs vives habite les hautes montagnes des Andes vénézuéliennes.

par leurs couleurs et leurs zébrures. Face à un intrus, le poisson dresse sa nageoire dorsale et abaisse la tête de façon à pointer vers lui ses épines assassines. La rainure, le long des épines qui prolongent son dos, conduit le venin de la glande jusqu'à la pointe du piquant.

Les céphalopodes tentent d'échapper aux prédateurs potentiels par le camouflage (voir chapitre suivant), mais aussi par l'avertissement : des motifs très voyants « préviennent » les prédateurs de leur nature toxique. Ainsi les glandes salivaires de certaines pieuvres sécrètent de la tetrodotoxine, très dangereuse voire mortelle pour

La rascasse volante, dont les « fausses plumes » cachent des aiguillons hautement venimeux.

l'homme : la peau de ces pieuvres est parsemée d'anneaux bleus iridescents qui alertent les prédateurs.

De même, la sépiole pyjama (une seiche) a des raies longitudinales noires sur fond blanc, qui indiquent le caractère potentiellement venimeux de son mucus.

Les nudibranches sont des petites limaces de mer dépassant rarement quelques centimètres et habitant presque toutes les mers du globe. Leurs branchies et leurs papilles dorsales sont couvertes de cellules urticantes, et elles signalent cette toxicité en déclinant fièrement toutes les nuances de l'arc-en-ciel.

### Salamandres de mauvais goût et sonneurs toxiques

Les taches jaune vif sur le dos noir de la salamandre tachetée incitent les prédateurs à se tenir à distance, s'ils ne veulent pas être incommodés. Cet amphibien, qui vit dans les boisements humides et aux abords des sources de France et d'Europe, est pourvu de glandes sécrétant une substance toxique à la surface de sa peau. Il laisse un si

mauvais goût dans la bouche du prédateur que celui-ci n'hésite pas un instant à lâcher sa proie et ne l'oublie pas de sitôt ! L'effet recherché n'est donc pas d'empoisonner l'agresseur, mais plutôt de le dissuader de recommencer. Toutefois, certains sont insensibles au poison et ne tiennent pas compte de cet avertissement coloré : c'est

*Ci-dessus* : le ventre très coloré de ce triton crêté est un avertissement destiné aux poissons.

*Page suivante* : la livrée jaune et noire de la salamandre tachetée. La peau et les glandes situées à l'arrière de l'œil sécrètent un venin dangereux pour tout prédateur consommant l'animal.

le cas du hérisson, du putois et de la couleuvre à collier, qui se régalent de la salamandre...

Les tritons crêté, alpestre et ponctué, plus aquatiques, cohabitent avec des poissons prédateurs : la coloration indiquant leur toxicité est située sur leur face ventrale, bien visible quand ils remontent à la surface de l'eau pour respirer.

Toujours en Europe, le sonneur à ventre jaune est un crapaud couleur terre sur le dos, difficile à repérer. En revanche, lorsqu'il est agressé par un intrus, il relève sa tête et ses pattes afin de faire apparaître les couleurs jaunes et noires de sa face inférieure. Ce comportement est un signal d'autant plus clair pour le prédateur qu'il est très soudain, les sonneurs sont d'ailleurs parmi les amphibiens les plus toxiques d'Europe. Les couleuvres aquatiques, habituellement grandes consommatrices d'amphibiens, ne mangent pas les sonneurs, ce qui prouve l'efficacité du dispositif.

**Bijoux vivants… ou poisons mortels**

De nombreuses espèces de grenouilles tropicales arborent des couleurs incroyablement vives. Parmi elles, les dendrobates, toutes petites grenouilles ne dépassant pas les cinq centimètres et vivant au plus profond des forêts d'Amérique latine, sont les championnes des couleurs de mise en garde. Rouge vif, dorées, vertes et orange, bleues et noires, de vrais petits bijoux vivants, dont l'éclat des couleurs est à la hauteur de la toxicité. Comme chez beaucoup de batraciens, la peau des dendrobates sécrète des substances toxiques, mais dans cette famille il s'agit de l'un des plus redoutables poisons du règne animal. Ce venin neurotoxique provoque la contraction irréversible des muscles, ce qui entraîne la paralysie et conduit rapidement à l'arrêt cardiaque.

Le triton marbré dont la livrée constitue,
elle aussi, un avertissement aux prédateurs.

*Phyllobates latinasus*, noire avec des taches dorées, et *Phyllobates terribilis* (qui porte bien son nom) sont parmi les espèces qui mériteraient la palme des empoisonneuses : au simple toucher, elles sont capables de tuer un homme en quelques instants. On dit qu'un gramme de leur batrachotoxine (l'une des toxines les plus puissantes connues dans le monde) suffirait à tuer des centaines voire des milliers de personnes, et il n'y a pas d'antidote connu !

La grenouille des fraises (*Dendrobates pumilio*), avec sa livrée rouge-orange vif, est l'un des dendrobates qui étaient très recherchés par les Indiens d'Amazonie. Ils les embrochaient au-dessus du feu, recueillaient précieusement le venin qui coulait et le faisaient fermenter. Ils utilisaient ensuite ce poison, qui garde son efficacité longtemps, pour enduire la pointe de leurs flèches et chasser singes et oiseaux. Il semblerait que ce poison n'ait pas seulement servi la chasse, mais aussi la guerre : parfois utilisé contre les tribus voisines, il l'aurait été également contre les conquistadors…

Les grenouilles de Madagascar sont tout aussi diversifiées et colorées que celles d'Amérique tropicale. On en trouve de nombreuses espèces dans la grande île, dont les mantelles, petites grenouilles qui ont suivi la même évolution que les dendrobates sud-américains : elles arborent des couleurs vives pour prévenir leurs prédateurs de leur forte toxicité.

Les grenouilles tomates, ainsi appelées à cause de leur coloration, sont également malgaches. Elles sont beaucoup plus grosses que les mantelles et sont elles aussi toxiques.

*Page précédente* : ces magnifiques grenouilles
sécrètent un poison extrêmement violent ;
*en haut à gauche* : la grenouille des fraises du Costa Rica ;
*à droite* : une dendrobate de Guyane ;
*en bas* : la grenouille Mantella de Madagascar.

*Ci-contre en haut et en bas* : cet énorme amphibien
est une grenouille tomate qui vit dans le nord-est de Madagascar.

# DES COULEURS POUR EFFRAYER

Certains animaux ont adopté la stratégie de l'effet de surprise, présentant parfois même un aspect tout à fait effrayant grâce à des motifs aux couleurs vives exhibés soudainement.

L'Uroplate, un gecko à la queue plate vivant à Madagascar, se confond remarquablement bien avec l'écorce des arbres sur lesquels il évolue, comme nous le verrons plus loin. Mais il dispose d'une autre technique pour se protéger : lorsqu'il estime qu'un intrus ou un prédateur éventuel s'approche vraiment trop près, il ouvre d'un seul coup une vaste gueule au palais mauve et à la langue écarlate, et exhibe en même temps deux gros yeux globuleux : le résultat est proprement effrayant !

Le lézard barbu d'Australie épouvante ses ennemis en dressant sa collerette épineuse et en ouvrant une gorge béante et jaune. Le scinque d'Australie, un autre lézard, tire brusquement une langue pointue et toute bleue à la face de celui qui le menace. Par cette manœuvre d'intimidation il cherche seulement à effrayer son ennemi car, malgré sa denture impressionnante, il ne mord jamais.

Chez les insectes, on peut remarquer la sauterelle porte-épée d'Amérique, qui exhibe ses couleurs vives (le dessous de son abdomen est bleu turquoise rayé de noir) seulement lorsque le danger se présente, afin de surprendre l'agresseur ou l'intrus.

### De beaux yeux… mais faux

Au repos, certains grands papillons de nuit sont gris : ils disparaissent à la vue dès qu'ils se posent, très difficiles à retrouver sur un tronc ou au sol, parmi les cailloux. Mais lorsqu'ils sont dérangés, à l'approche d'un oiseau affamé, par exemple, ils déploient leurs ailes antérieures, découvrant de superbes et grands ocelles noirs, pupillés de blanc, tels de grands yeux de chouette. L'efficacité de ces faux yeux réside dans l'effet de surprise ainsi produit qui, même s'il ne

*Ci-dessus* : un uroplate, gecko à queue plate de Madagascar.

*Page suivante* : lorsqu'il se sent menacé, l'uroplate adopte cette posture d'intimidation.

dure que peu de temps, laisse au papillon l'occasion de s'enfuir. Outre la frayeur suscitée, ces ocelles ont pour but, si le prédateur attaque tout de même, de l'attirer loin des parties vitales : l'oiseau plantera son bec dans un endroit qu'il estime vulnérable, alors que seule l'aile du papillon sera atteinte ; celui-ci aura une chance de s'enfuir.

Certains crapauds tropicaux ont adopté la même stratégie : lorsqu'ils sont inquiétés, ils se gonflent et replient les pattes en tournant le dos à l'intrus, laissant apparaître au bas de leur dos des ocelles menaçants destinés à impressionner.

## Un masque pour semer la terreur

Les chenilles excitent la convoitise de nombreux prédateurs, aussi bien oiseaux et reptiles que petits mammifères. Pour les dissuader, certaines exhibent un véritable masque destiné à les terrifier, avec des yeux énormes et une immense bouche colorée ! La chenille à grande-queue fourchue, par exemple, rentre la tête et arque les épaules lorsqu'elle est dérangée : la partie antérieure de son corps paraît ainsi beaucoup plus volumineuse et dévoile un masque rose vif avec deux taches noires de chaque côté de la tête : beaucoup d'agresseurs s'enfuient, terrorisés…

Si la ruse est inopérante, la chenille a encore plus d'un tour dans son sac : elle redresse cette fois l'extrémité de son abdomen et agite frénétiquement vers l'avant sa double « queue », d'où vont sor-

tir deux filaments rouges rétractiles, qui émettent une odeur repoussante, produite par une sécrétion glandulaire.

Enfin, si cette remarquable opération d'intimidation n'a pas suffi à dissuader le prédateur, la chenille projette, jusqu'à une quinzaine de centimètres, un liquide corrosif très violent, émis par une glande thoracique située sous la tête.

# DES COULEURS POUR SÉDUIRE

De nombreux animaux font précéder l'accouplement d'un cérémonial élaboré et souvent spectaculaire, au cours duquel l'exhibition de couleurs vives est un atout majeur. Charles Darwin a été le premier à élaborer une théorie de la sélection sexuelle et à reconnaître que ce sont souvent les femelles qui choisissent les mâles. L'idée lui était venue alors qu'il écrivait *De l'origine des espèces*, ouvrage dans lequel il démontrait que la sélection naturelle est le principal moteur de l'évolution des espèces. Cette sélection explique, par exemple, le dimorphisme sexuel présent chez beaucoup d'oiseaux : les femelles sont de couleur terne, ce qui les rend moins visibles des prédateurs lorsqu'elles couvent, alors que les mâles sont parés de couleurs voyantes, suscitant la rivalité entre eux pour l'accouplement et déterminant le choix des femelles.

Certains chercheurs pensent aujourd'hui que les couleurs affichées par les mâles renseignent les femelles sur leur bonne santé. Lorsqu'on sait que les tons les plus vifs sont portés par les animaux les plus forts et les plus résistants aux maladies, il paraît logique de penser que les femelles les choisissent. Ainsi elles chercheraient à perpétuer l'espèce et à donner naissance à des descendants qui soient robustes.

### Les oiseaux en parade
Lors des parades nuptiales, certains oiseaux mettent en valeur des ornements bizarres : plumes étonnantes, collerettes, huppes et

autres jabots ; ils prennent des postures pour le moins insolites : ailes écartées, queue déployée ou encore bouche largement ouverte... Ces ballets en drôles de costumes, remarquables outils de séduction, manifestent plus particulièrement leur splendeur dans les régions chaudes où les oiseaux disposent d'une nourriture abondante, riche en pigments, et où le nombre d'espèces présentes nécessite une grande diversité de parures.

Mais, même s'il n'est pas pourvu d'ornements particuliers, l'oiseau fait en sorte d'exhiber le moindre endroit coloré de son corps : il montre ses plumes les plus flamboyantes, ses pattes hautes en couleur ou l'intérieur de son bec rouge vif. Dans tous les cas, ces

*Ci-dessus* : la sarcelle d'hiver en train de nettoyer ses plumes.
*Page précédente* : l'élégante échasse blanche.

démonstrations ont valeur de messages échangés entre les partenaires, assurant le conditionnement sexuel nécessaire à la reproduction.

Dans nos jardins, la mésange charbonnière préférera le mâle portant sur la poitrine la rayure noire la plus large. Les mâles de la famille des fringilles, comme le pinson des arbres ou le bouvreuil pivoine, arborent des couleurs vives qui attireront plus facilement les femelles.

Le paon, qui nous vient d'Asie, pousse encore plus loin la séduction en étalant cette queue ornée de motifs étonnants en forme de faux yeux. Le nombre de ces ocelles a toute son importance : les femelles accordent leur préférence aux mâles dont les queues sont les plus décorées. Il semblerait que ce choix aille au-delà de l'esthétique : une étude récente a montré que les meilleurs pères étaient les plus beaux ; leurs petits sont plus gros à la naissance et moins vulnérables.

## Sur les étangs et dans les prairies

La séduction par la couleur opère aussi dans ces milieux, bien des canards l'attestent à commencer par le célèbre colvert mâle : quelle livrée nuptiale superbe avec sa tête vert bouteille soulignée par un collier blanc, son corps gris clair sur lequel contraste une poitrine chocolat ! Autre canard de surface au dimorphisme sexuel affirmé, la fine sarcelle d'hiver affiche chez monsieur des nuances particulièrement délicates : tête bigarrée brun rouge et vert, plumage finement rayé et pointillé, miroir vert et triangle jaune beurre frais de chaque côté du croupion… Chez la femelle, seul le miroir vert, lorsqu'il est découvert, apporte une touche de couleur au plumage discret.

Grosse tête brun rouge coiffée d'une huppe orangée, bec rouge corail rutilant, on ne peut ignorer le mâle de la nette rousse, un canard plongeur fréquentant nos marais et nos lacs, dont le plumage flamboie dès que le soleil est un peu bas.

Les combattants sont des petits échassiers, dont le comportement nuptial est particulièrement actif. Chaque année, ils se retrouvent sur les mêmes prairies humides et les mâles simulent des joutes endiablées, courant, sautant, dansant et se précipitant les uns contre

Le dimorphisme sexuel chez le canard pilet :
en haut, la femelle ; en bas, le mâle.

les autres. Au printemps, ils se distinguent des femelles par leur surprenant plumage nuptial : double houppette et large collerette, attributs dont les couleurs et les dessins sont propres à chaque individu, d'où ce nom de combattant varié. Cette parure ressemble un peu à un bouclier, d'où pointe le bec comme une lance, leur donnant une allure de chevalier médiéval. Les femelles sont attirées par ces manèges, et s'accoupleront avec ceux dont les postures et les couleurs sont les plus remarquables.

En plumage nuptial, le bec bigarré du macareux moine s'orne de couleurs éclatantes, tandis que ses pattes virent à l'orange vif.

### Étui corné ou jabot airbag vivement colorés

Le macareux moine est un cousin des guillemots et des petits pingouins et, comme eux, peuple l'Atlantique Nord, jusqu'aux falaises des Côtes-d'Armor. Avec son bec bigarré, aplati sur les côtés et ressemblant vraiment à un faux nez, il mérite bien ses surnoms de clown de mer ou de perroquet de mer.

À l'époque de la reproduction, il célèbre lui aussi le printemps à sa manière : ses pattes virent à l'orange lumineux, tandis qu'apparaît sur son bec un étui corné tout neuf, dont les couleurs vives sont des signaux sexuels très importants. En effet, ce sont les macareux aux becs les plus vivement colorés qui connaîtront le plus de succès lors des parades nuptiales. Le mâle n'hésitera pas non plus à montrer à la femelle l'intérieur de son gosier rouge vif, comme un atout supplémentaire de séduction.

Dans les eaux tropicales de l'Atlantique et du Pacifique, on trouve un grand oiseau de mer aux ailes effilées et à la silhouette majestueuse, qui porte bien son nom : la frégate superbe. Les nids sont installés en colonies dans les mangroves et le mâle possède une belle livrée noire avec des reflets verdoyants. Pour faire sa cour, il se présente devant la femelle, ailes écartées, et gonfle une grande poche rouge vif située sous sa gorge. La couleur éclatante de ce jabot, appelé aussi sac gulaire, est renforcée par les nuances vert métallique des plumes du dos. Souvent les mâles se regroupent, claquant du bec et dilatant leurs airbags écarlates lorsque les femelles les survolent, afin qu'elles fassent leur choix et se posent à côté de l'élu. L'accouplement a généralement lieu peu après.

**Parures éclatantes du Nouveau-Monde**
Le plus petit de tous les oiseaux est le colibri, propre aux Amériques. Les différentes espèces sont parées de plumages si brillants que les ornithologues qui les découvrirent leur attribuèrent des noms ponctués de références à des joyaux : saphir, topaze, rubis ou émeraude.

Les macareux moines ou perroquets de mer
nichent sur les pentes herbeuses des falaises ou des îlots,
où ils creusent un profond terrier.

Beaucoup plus imposant, l'ara hyacinthe, le plus grand des perroquets, très menacé bien que vivant au fond de la forêt amazonienne, joue la séduction sur le mode du bleu profond, mis en valeur autour de l'œil et à la base du bec par une touche de jaune vif du plus bel effet.

Le quetzal est l'oiseau sacré des Mayas. Lorsque le mâle de cette fabuleuse espèce parade dans les forêts brumeuses des montagnes d'Amérique Centrale, son vol nuptial met en valeur des plumes iridescentes vertes et rouges, scintillant dans la lumière. Sa longue queue aux plumes vertes ondule gracieusement au cours de ces évolutions, spectacle qui ne laisse pas les femelles indifférentes...

Le dimorphisme sexuel est particulièrement flagrant chez les oiseaux de paradis, qui vivent dans les forêts de Nouvelle-Guinée : les mâles de toutes les espèces arborent de somptueux reflets irisés jaunes, bleus, rouges, verts, violets ou pourpres, sans compter les plumes ornementales d'une élégance rare qu'ils exhibent lors des parades, tandis que les femelles doivent se contenter de livrées brun terne... Mais elles porteront leur choix de préférence sur les paradisiers mâles les plus colorés.

Autres espèces étonnantes fréquentant les forêts tropicales d'Océanie : les oiseaux à berceau. Cette fois, mâles et femelles se ressemblent beaucoup ; l'attrait du mâle ne vient pas de son physique, mais des objets qu'il va glaner, entreposer et arranger dans son aire de parade ressemblant à un berceau. La décoration et les couleurs mises en valeur lors de cette parade nuptiale peu banale comptent beaucoup dans la séduction. Les mâles des oiseaux jardiniers, par exemple, construisent de savants berceaux d'herbes

Le colibri est le plus petit de tous les oiseaux ;
ici, un mâle au Costa Rica.

sèches et les décorent avec un nombre impressionnant d'objets hé-téroclites : morceaux de verre cassé, vertèbres d'animaux blanchies par le soleil, rubans de plastique coloré, papiers d'aluminium brillants. Tous ces trésors sont disposés avec un souci évident de symétrie et en fonction de la lumière. Leur installation achevée, les mâles n'ont plus qu'à attendre : les femelles préféreront ceux dont le berceau est le plus décoré.

Un colibri femelle de la même espèce que celui de la page précédente.

L'oiseau satin, quant à lui, augmente ses chances de séduction en choisissant pour embellir son aire nuptiale des matériaux (plastique, papier et autres déchets) dont la teinte bleue se rapproche de celle de sa livrée chatoyante.

### Les secrets des ultraviolets

Beaucoup d'oiseaux utilisent dans la séduction une ornementation à base d'ultraviolets. Ainsi les parures vives des perroquets ou le plumage irisé des étourneaux nous paraîtraient-ils plus saisissants si nous pouvions les voir en lumière ultraviolette. Un certain nombre d'espèces discernent ces longueurs d'onde, à commencer par des espèces vivant sous nos latitudes : la mésange bleue mâle, à nos yeux identique à la femelle, possède en réalité un plumage qui réfléchit plus vivement les ultraviolets, l'intensité de cette réflexion devenant même un critère de choix pour les femelles. La gorge-bleue à miroir femelle choisit son partenaire selon le même critère. À la saison des amours, le plastron bleu vif du mâle, rehaussé de rouge ou de blanc en son centre, est bien visible.

*Ci-dessus* : une mésange bleue ; le plumage du mâle réfléchit plus vivement les ultraviolets.

*Page suivante* : le flamant rose consomme des petits crustacés qui lui donnent sa couleur caractéristique.

### Quand les rôles sont inversés…

Quelques espèces dérogent au schéma habituel de la séduction masculine. Ainsi chez les phalaropes, petits échassiers qui vivent dans le Grand Nord, la femelle est plus grande et surtout plus colorée que le mâle, et c'est elle qui le courtise. Elle défendra également le territoire, tandis que le mâle au plumage discret couvera les œufs…

## La séduction en milieu marin

L'attrait que les mâles colorés exercent sur les femelles a été étudié aussi chez les poissons. Les femelles guppys, poissons bien connus des aquariophiles, ont un penchant marqué pour les mâles les plus orangés. Selon l'interprétation la plus couramment admise, cette coloration vive est le signe d'une grande vigueur : les mâles dont les pigments sont les plus lumineux sont probablement les mieux alimentés.

De la même façon, les épinoches femelles s'intéressent davantage aux mâles dont la livrée nuptiale est d'un rouge plus intense. Elles vont jusqu'à repousser les prétendants rencontrés précédemment si leur couleurs sont moins vives que celles du nouveau venu !

Chez les seiches, les mâles portent souvent des tenues d'apparat spectaculaires pour attirer les femelles, tout en chassant les éven-

### UNE ALIMENTATION COLORÉE

*La couleur vive de certaines espèces n'a pas véritablement pour objectif la séduction : elle est issue d'une alimentation exclusive qui leur apporte un pigment en grande quantité. Ainsi en est-il des flamants roses, dont le rouge des ailes provient d'un pigment caroténoïde élaboré par une algue des lagunes ou des marais salants, consommée par de petits crustacés qui concentrent ce pigment et sont eux-mêmes mangés par les flamants. Les caroténoïdes sont transformés par l'organisme des flamants et fixés dans leurs plumes, leur conférant ces couleurs caractéristiques.*

*Comme son lointain cousin le flamant rose, l'ibis rouge doit sa couleur éclatante à la nourriture qu'il ingère, composée également de petits crustacés rouges. C'est d'ailleurs le seul représentant de sa famille à porter ces teintes vives, les autres espèces d'ibis ayant une alimentation différente.*

tuels rivaux. Le motif de leur peau peut varier : les raies zébrées se déplacent sur leur corps et changent d'intensité selon les circonstances. La femelle aussi adopte d'autres motifs de coloration, ainsi que des positions particulières qui seront autant de messages d'acceptation de l'accouplement.

### Primates et coloration sexuelle

La morphologie et la coloration des organes sexuels féminins changent selon les phases du cycle menstruel de la plupart des primates. Ces renflements génitaux aux teintes flamboyantes, roses chez les macaques, violets chez les babouins, sont un moyen simple et efficace pour les femelles d'attirer l'attention des mâles disponibles et de les inciter à des liaisons multiples.

Chez les géladas, ce ne sont pas les callosités de l'arrière-train qui transmettent ce genre d'information. Singes herbivores habitant les montagnes éthiopiennes, ils sont assis presque toute la journée pour se nourrir et leur zone génitale reste cachée. Pour compenser,

*Page précédente* : chez les phalaropes, c'est le mâle qui couve les œufs, il est donc vêtu d'un plumage plus discret.
*Ci-dessus* : parée de couleurs vives, la femelle du phalarope courtise le mâle et défend le territoire : les rôles sont inversés...

ils ont développé une tache colorée sur la poitrine : les géladas de tous âges et des deux sexes arborent cette zone de peau nue sur le poitrail, habituellement d'un rose nacré. Sous l'influence des hormones, la couleur de cette « médaille » vire au rouge éclatant chez les mâles dominants, comme chez les femelles en chaleur. Lorsque les femelles sont réceptives, le mâle dominant doit s'accoupler avec chacune d'entre elles, sous peine de se voir rapidement remplacé par un concurrent !

Les Éthiopiens ont surnommé les géladas les « singes au cœur saignant ». Ils racontent volontiers que pour le punir de sa mauvaise conduite, Dieu a marqué au fer rouge la poitrine du premier gélada...

43

# MIMÉTISMES

Qui n'a jamais admiré un papillon semblant se fondre avec son support ? Lors d'une promenade hivernale en montagne, il n'est pas rare non plus de découvrir au dernier moment une perdrix des neiges parfaitement confiante dans son camouflage. Sur un fond sableux, on peut observer une sole ou une plie quasiment invisible.

De nombreux animaux ont ainsi la faculté de se confondre avec leur milieu. Jouant des couleurs et des formes, les prédateurs peuvent arriver à leurs fins avec discrétion et efficacité. Quant aux proies qui utilisent ces ruses visuelles, elles parviennent à vivre leur vie sans être repérées. Manger ou être mangé : cette loi fondamentale de la nature a entraîné les animaux, au cours de l'évolution, à mettre au point des techniques de survie complexes et variées : le mimétisme est l'une d'entre elles.

Il peut prendre la forme d'un camouflage : l'animal adopte une livrée se confondant avec son environnement par la teinte

45

(écorce, rocher, sable, neige…), ou il opte pour une forme imitant un élément de cet environnement (feuille, rameau, fleur…). Quant au travestissement ou mimétisme proprement dit, il consiste à se faire passer pour une autre espèce, souvent redoutée, afin de dissuader ou de tromper prédateurs et intrus. L'imitateur peut soit prendre l'apparence de l'espèce imitée, soit simuler un de ses comportements.

## L'ART D'IMITER LES ÉCORCES

Les oiseaux de nuit utilisent comme camouflage leur livrée brunâtre, finement rayée. La chouette hulotte, appelée aussi chat-huant, rentrant au petit matin de sa chasse aux rongeurs, se repose sur l'arbre qu'elle habite, renforçant sa discrétion par son immobilité. Mais en la matière, elle est surpassée par un autre rapace nocturne de nos régions, le hibou petit-duc, dont le plumage gris et brun, finement chamarré, ressemble à s'y méprendre à un morceau d'écorce. Égrenant infatigablement sa note flûtée, un peu mélancolique, lors des nuits printanières méridionales, ce hibou miniature, friand de papillons de nuit et de sauterelles, est d'autant plus difficile à voir qu'il se plaque contre un tronc, toujours dans l'ombre.

Toujours sous nos latitudes, on trouve en milieu forestier le torcol, un cousin de nos pics qui doit son nom aux contorsions qu'il peut effectuer avec son cou. Lui aussi est arboricole et son plumage rayé de brun et de gris le rend extrêmement difficile à apercevoir.

*Double page précédente* : embusqué et prêt à frapper sa proie, le héron pourpré.

*Page précédente* : la chouette chevêchette.

*Ci-contre* : ce petit-duc de Madagascar est invisible dans une fente d'arbre.

Heureusement pour les ornithologues, son chant très caractéristique permet tout de même de le repérer !

Quant à l'engoulevent, grand mangeur d'insectes, c'est un oiseau crépusculaire et nocturne, au plumage également gris-brun couvert de points, de taches et de stries. Il se tient souvent posé à terre, invisible parmi les cailloux, les feuilles sèches et les herbes. Son mimétisme est plus efficace encore dans les branches : la conformation de ses doigts l'oblige à s'y tenir dans le sens de la longueur, il ressemble alors à un morceau d'écorce qu'on distingue à peine de ce qui l'entoure. Les observateurs prennent conscience de sa présence à l'oreille : l'oiseau émet un ronronnement puissant et caractéristique…

Cet engoulevent se tapit sur un chemin forestier.

### Vieilles branches…

Cap maintenant sur l'Australie, où l'on peut rencontrer dans les forêts tempérées et dans la brousse de grands engoulevents appelés podarges. Ils chassent les insectes au crépuscule et pendant la nuit ; le jour, ils se reposent. Pour échapper à leurs prédateurs, ils choisissent un vieil eucalyptus couvert de mousses brunes et grises, à l'instar des

48

*À gauche et à droite* : l'incroyable mimétisme
de l'uroplate, gecko de Madagascar.

couleurs de leur plumage soyeux, aux taches et rayures des mêmes tons. Ainsi, ils parviennent à se fondre avec leur support. Mais la performance ne s'arrête pas là : ils étirent leur tête et leur cou vers le ciel et restent immobiles pendant des heures, imitant à la perfection une branche morte ou cassée.

## Un gecko invisible

L'uroplate, ou gecko à queue plate, habite les forêts orientales de Madagascar. Ce petit lézard arboricole, grimpeur hors pair, est remarquablement adapté à son environnement. Il craint assez peu les prédateurs, tant son camouflage est efficace. Son corps aplati contre le tronc pour réduire l'ombre projetée, son immobilité parfaite et sa coloration imitant une écorce recouverte de lichen et de mousse en font un champion du mimétisme. De plus, il porte de nombreux appendices contribuant à estomper les formes de son corps. Comme certains geckos, il pousse même le raffinement jusqu'à avoir la queue en forme de feuille.

### Les papillons du bouleau

La phalène du bouleau, un papillon nocturne qui mesure environ cinq centimètres d'envergure, porte une livrée blanchâtre bigarrée de noir. Durant la journée, ces papillons se tiennent sur le tronc des bouleaux, devenant particulièrement difficiles à repérer par les prédateurs. Certains biologistes ont cru remarquer que les phalènes se posaient sur les troncs de manière à ce que les stries de leurs ailes soient parallèles aux lignes de rupture de l'écorce, summum du camouflage…

### Mammifères arboricoles

Les mammifères non-prédateurs qui vivent dans les arbres ne dérogent pas à la règle. Ils sont d'autant moins vulnérables que leurs couleurs sont plus proches de celles du milieu dans lequel ils évoluent. Ainsi à Madagascar, certains lémuriens comme les lépilémurs ou les hapalémurs, lorsqu'ils sont poursuivis par un rapace ou un serpent, cherchent leur salut dans une immobilité parfaite le long des troncs et parmi les feuillages. Ils deviennent très difficiles à repérer en raison de leur livrée d'un brun roux ou d'un brun gris.

Les paresseux, qui passent leur vie suspendus aux arbres des forêts tropicales d'Amérique Centrale et du nord de l'Amérique du Sud, possèdent un camouflage simple mais efficace : leur fourrure épaisse et hirsute est teintée du même brun-gris que l'écorce des arbres qu'ils fréquentent. Mieux encore, il semblerait qu'à l'intérieur des fines zébrures de leur pelage pousse une minuscule algue verte, qui lui donnerait ses reflets verdâtres. Comment repérer, dans ce monde végétal, un animal brun et vert qui, de surcroît, se déplace avec une extrême lenteur, quand il ne reste pas immobile ?

*Ci-dessus* : un papillon feuille en Malaisie.
*Page suivante* : un lépilémur caché dans un arbre creux.

# SE TRANSFORMER EN FEUILLE OU EN RAMEAU

De nombreuses espèces imitent les couleurs des feuilles, c'est-à-dire leurs tons de vert, mais aussi parfois les teintes qu'elles prennent lorsqu'elles sèchent. D'autres poussent le mimétisme plus loin : en plus de la couleur, elles prennent la forme des feuilles, rameaux, brindilles ou algues sur lesquels elles se tiennent habituellement.

Bien des oiseaux des sous-bois ou des marécages tirent avantage de leur teinte « feuille morte » ou « herbe sèche » pour se fondre dans leur environnement. La bécasse des bois est un oiseau solitaire, affectionnant les boisements paisibles et reculés. Vu de près, son plumage est ravissant : le roux, le brun, le noir et l'or s'y mêlent harmonieusement. Vue d'un peu plus loin, elle se confond parfaitement avec les brindilles et feuilles mortes qui tapissent ses habitats favoris. Très confiante en son mimétisme, à l'instar des perdrix et des lagopèdes, elle ne s'envolera qu'au dernier moment.

Le héron pourpré, quant à lui, est adapté à la roselière. Son plumage foncé, accentué par les rayures de son cou mince, s'y prête bien. L'oiseau préfère l'immobilité à la fuite : cou tendu et bec levé en alignement, il se présente tel un roseau ou une branche morte. Son cousin le butor va plus loin : il oscille à la même cadence que les roseaux lorsque le vent les agite. Il est, d'ailleurs, bien plus aisé d'entendre la voix grave et retentissante du butor que de l'apercevoir.

Son plumage permet à la bécassine
des marais de demeurer invisible dans les hautes herbes.

### Papillons ni vus ni connus

Les couleurs de camouflage des papillons de nuit sont toujours situées sur la face dorsale de leurs ailes, c'est-à-dire celle qui est visible au repos. La « feuille morte du chêne » a, comme son nom l'indique, une livrée de parfait camouflage dans le milieu adéquat. En revanche, les papillons de jour replient leurs ailes comme les pages d'un livre, présentant, lorsqu'ils sont posés, une face ventrale mimétique. Ainsi, la couleur jaune vif du « citron », papillon commun dans nos régions, est facile à repérer en vol, tandis que l'insecte passe inaperçu lorsqu'il se suspend à une feuille…

### Des feuilles plus vraies que nature

De nombreuses sauterelles excellent dans l'art d'imiter les feuilles. Même la simple sauterelle verte de nos prairies en est un exemple : le haut de ses ailes est recouvert de petites excroissances imitant le « velours » des brins d'herbe. Certaines sauterelles des forêts tropicales, qui ont été baptisées sauterelles-feuilles, ne se contentent pas d'imiter la couleur et la forme des feuilles sur lesquelles elles évoluent : elles portent sur leurs ailes des taches semblables à celles que font les champignons parasites ou les lichens… D'autres poussent le raffinement jusqu'à ajouter à la forme, à la couleur et aux taches de la feuille qu'elles imitent, l'échancrure laissée par les mandibules d'un insecte.

*Page précédente* : un papillon feuille au Venezuela.

*Ci-contre en haut* : une sauterelle feuille.

*En bas* : un criquet feuille.

55

Parentes des phasmes, les phyllies, également nommées insectes-feuilles, vivent dans les forêts d'Asie du Sud-Est. Elles ont une forme très aplatie avec des excroissances arrondies, imitant à la perfection les feuilles des plantes auxquelles elles sont inféodées. Elles complètent cette ressemblance de manière étonnante en présentant, par exemple, des irrégularités rappelant le passage des chenilles mangeuses de feuilles.

### Grenouilles déguisées et poissons faussaires

Dans l'Ancien Monde comme dans le Nouveau, au cœur de la forêt malaisienne comme au fond de l'Amazonie, on trouve des amphibiens mimétiques. La palme revient aux grenouilles cornues, qui présentent des couleurs de feuilles sèches, semblables à celles de la litière qu'elles fréquentent. Les protubérances cornées situées au-dessus de leurs yeux – qui leur ont donné leur nom – ressemblent à des pointes de feuilles, et leurs fines crêtes dorsales simulent les nervures d'une feuille morte. Ce camouflage est surtout efficace lorsqu'on observe l'animal de haut, comme doivent le faire ses prédateurs.

Le milieu aquatique n'échappe pas à la règle : les poissons-feuilles de l'Amazone se tiennent près de la surface, semblables aux feuilles qui flottent sur l'eau alentour et, ainsi camouflés, ils s'approchent doucement de leurs proies

### Brindilles et rameaux

De nombreux insectes imitent les formes qui les entourent, comme les brindilles et les rameaux : on les appelle, d'ailleurs, les insectes-brindilles, par analogie avec les insectes-feuilles que nous avons déjà

Certains crapauds sont quasiment invisibles
sur le sol de la forêt tropicale ;
*en haut* : un crapaud du Costa Rica ;
*en bas* : un crapaud de Guyane.

évoqués. À ce jeu, les phasmes sont vraiment les maîtres. Mesurant jusqu'à trente centimètres de long, de couleur verte ou brune, ils vivent essentiellement dans les forêts tropicales, et ressemblent à s'y méprendre aux brindilles ou aux rameaux des arbres sur lesquels ils vivent. Leurs pattes, articulées sur leur corps filiforme, se présentent comme les rameaux secondaires des branches, les rendant très difficiles à distinguer même pour un observateur averti. Pendant la journée, ils restent immobiles, ne se déplaçant que la nuit, très lentement. Quelques espèces de phasmes sont dotées d'ailes qu'elles

Les phasmes imitent les brindilles à s'y méprendre.

peuvent déployer brusquement devant l'agresseur, en vue de l'effrayer. Certains phasmes entrent en catalepsie et tombent par terre comme des rameaux secs, tandis que d'autres dégagent des substances chimiques nauséabondes… Que de stratégies pour tromper les prédateurs !

## Les hippocampes invisibles

Les syngnathes sont des cousins des hippocampes. Certains se camouflent au sein des posidonies grâce à leur couleur terne et à leur corps allongé, qu'ils placent verticalement parmi ces herbes marines, ondulant de la même façon qu'elles.

Le grand dragon des mers, un hippocampe qui vit au large de l'Australie, possède un déguisement extraordinaire : les nombreuses excroissances foliacées qui prolongent son corps imitent les algues

Cet étrange syngnathe reste invisible dans les amas de bois mort qui jonchent le lit des rivières amazoniennes.

ramifiées au sein desquelles il vit, le rendant impossible à détecter. Son cousin le « cheval de mer rubané » adopte une stratégie de camouflage proche en développant de longues vrilles semblables aux algues qu'il fréquente.

## DE DRÔLES DE ROCHERS

Ce gecko de Namibie se fond
parfaitement dans son environnement.

Sables, pierres, rocailles, nombreux sont les substrats minéraux utilisés par les animaux pour échapper à leurs prédateurs, ou
au contraire pour surprendre les proies. Les geckos constituent
l'un des groupes de lézards les plus diversifiés. Ils sont connus
pour leur capacité à grimper sur les surfaces les plus lisses, même
le verre, grâce aux multiples lamelles adhérentes disposées sur la
face inférieure de leurs doigts. De nombreuses espèces ont adopté
une livrée de camouflage pour chasser plus efficacement les insectes dont ils se nourrissent, mais aussi pour ne pas être mangés
eux-mêmes.

Geckos australiens à dominante rouge brique sur les rochers rouges d'Australie, geckos gris ou beiges dans les régions rocheuses et arides de Namibie et d'Afrique du Sud, les exemples de camouflage ne manquent pas. Toutefois, dans les cas où les geckos comptent sur cette livrée pour mieux leurrer leurs prédateurs, cette stratégie serait beaucoup moins efficace si elle n'était pas associée à une parfaite immobilité : les rapaces, pour ne citer qu'eux, ont une vision remarquable et sont sensibles au moindre mouvement...

*Ci-dessus à gauche* : un crapaud cornu brésilien,
pratiquement invisible dans la litière de la forêt dense.
*Au centre* : un gecko de Bornéo en tenue de camouflage.
*À droite* : un criquet pierre
dans un milieu rocailleux en Afrique-du-Sud.

### Criquets de rocaille

Les orthoptères (sauterelles, grillons et criquets) présentent des préférences écologiques très diverses, fréquentant de multiples milieux naturels. Un certain nombre d'espèces ont « choisi » une livrée dont la couleur se confond avec celle de l'environnement, à l'instar des sauterelles vertes dans les prairies. L'œdipode stridulante, criquet de nos régions qui vit dans des milieux rocailleux, arides et chauds, de couleur dominante grise, présente un corps « gris pierre ». De ce fait, il s'avère difficile à détecter, sauf lorsqu'il déploie ses ailes

## Sables vivants et poissons plats

Les fonds sablonneux abritent bien des espèces de poissons, parmi lesquelles les poissons plats – soles, turbots ou plies – ont adopté une morphologie et un comportement étonnants. Lors de leur croissance, l'un des yeux migre pour venir rejoindre l'autre œil sur la face opposée. Une fois cette transformation accomplie, les poissons gagnent le fond et se couchent sur leur côté devenu aveugle. Par nature assez mauvais nageurs, ils préfèrent chasser à l'affût vers, crevettes ou petites araignées de mer. Leur étrange conformation dissymétrique leur permet de se tenir sur le flanc, enfouis dans le sable et ne laissant dépasser que les yeux.

Sur des fonds plus rocheux, plusieurs espèces de poissons plats, comme la plie, sont capables de pratiquer un camouflage plus poussé encore : sa peau brune contient des petites poches de pigments qui peuvent soit se contracter et devenir minuscules, soit se di-

postérieures rouges, manœuvre destinée à surprendre, voire à faire fuir l'ennemi.

Sous nos latitudes également, son cousin l'œdipode turquoise fréquente les pelouses sèches et pierreuses, mais aussi les carrières et les sablières. La nature a poussé le raffinement jusqu'à le doter d'une livrée bigarrée, à bandes brun-gris et sable alternées, plus ou moins contrastée selon les substrats, le rendant invisible aussi bien en milieu à dominante foncée qu'à dominante claire. Comme son nom d'espèce l'indique, l'effet de surprise est, cette fois, provoqué par le déploiement soudain de ses ailes postérieures bleues.

later et prendre l'apparence de taches de couleur. Ainsi la plie modifie la concentration de sa couleur de sorte à s'harmoniser avec les fonds qu'elle fréquente, devenant quasi invisible.

Chez les céphalopodes aussi, on pratique l'art de changer de couleur : certaines pieuvres prennent la couleur du rocher sur lequel elles se trouvent sans aucune difficulté.

### Travestissements sous-marins

Le dangereux poisson-pierre est assurément un maître dans l'art de se fondre dans l'environnement en adoptant sa couleur. Sa forme ronde, un peu aplatie, et sa peau couverte de lambeaux, couleur terne, lui donnent un petit air de rocher. Apparence d'autant plus

crédible que, chassant à l'affût, il reste immobile très longtemps et finit par être recouvert d'algues et de débris divers, ajoutant ainsi à la mystification.

Plusieurs espèces d'araignées de mer poussent plus loin encore le déguisement : elles travestissent littéralement leurs carapaces en les recouvrant volontairement de cailloux, d'éponges, d'algues et autres morceaux de coquilles…

# DES ANIMAUX BLANCS COMME NEIGE

Le camouflage de bien des animaux montagnards ou polaires présente un raffinement assez poussé : la mue de leur plumage ou de leur pelage est en quelque sorte ajustée à leur environnement. Ils sont bruns, beiges ou roux à la belle saison, mais deviennent blancs l'hiver, lorsque la neige recouvre leur domaine. Il est alors très difficile de les y déceler. Le lièvre variable, l'hermine, le lagopède ou encore le renard polaire montrent une telle variation d'aspect.

### Perdrix des neiges

Connus sous les noms de perdrix des neiges, perdrix blanches ou encore poules des neiges, les lagopèdes alpins vivent en montagne mais également sous les latitudes arctiques. Ces oiseaux sont la démonstration vivante du camouflage adapté à la variation des saisons. En été, lorsque la végétation rase de la toundra devient multicolore, la

Le lagopède, oiseau dont le plumage s'ajuste à la couleur de l'environnement : *Ci-contre :* en été, bien camouflée parmi la végétation rase de la toundra islandaise, la perdrix des neiges ou lagopède veille sur ses poussins. *Page suivante :* un lagopède en tenue d'hiver, presque invisible sur fond de rameaux enneigés.

femelle revêt un plumage harmonieusement décoré en un camaïeu de brun, d'ocre et de noir, somptueux vu de près mais pratiquement invisible de plus loin. Elle veillera ainsi en toute sécurité sur sa progéniture. Elle est, d'ailleurs, tellement confiante dans les vertus de son camouflage qu'elle s'envole au dernier moment, presque à l'instant où le promeneur va poser le pied sur elle, provoquant chez lui une bonne poussée d'adrénaline !

Très logiquement, une livrée immaculée s'impose en hiver, seuls le bec et les yeux noirs trahissent la présence du lagopède. S'il ne bouge pas, les prédateurs ne pourront pas le repérer. Au moment des mues, l'oiseau devient très vulnérable lorsque l'arrivée ou la disparition de la couche de neige sont décalées. Le changement des plumes s'opère progressivement, et les plumes sombres sur fond de neige, ou immaculées sur la toundra brune exposeront l'oiseau, pendant quelques jours, aux attaques faciles des faucons gerfauts et autres renards polaires.

### Lièvres blancs

Les lièvres variables sont vêtus de blanc en hiver. Presque immaculés (seul le bout des oreilles est noir), ils mettent toutes les chances de leur côté pour échapper à leurs prédateurs ailés ou terrestres. Au printemps, la fourrure blanche fait place sur le dos à un pelage marron : l'animal bigarré ressemble ainsi aux rochers qui se détachent sur le manteau de neige. Enfin, pendant l'été, le lièvre peut brouter la végétation à découvert sans soucis, sa robe étant devenue brun-gris, parfaitement en harmonie avec le milieu dans lequel il évolue. Le lièvre arc-

*En haut* : presque immaculé,
ce lièvre arctique met toutes les chances
de son côté pour passer inaperçu.

*En bas* : bien camouflé dans son épaisse
fourrure blanche, le renard polaire
est un prédateur efficace du grand Nord.

64

tique, quant à lui, vit sous les climats encore plus froids du Grand Nord canadien, là où la neige et la glace sont présentes quasiment toute l'année : c'est la raison pour laquelle ce lièvre reste blanc sa vie durant.

### Le goupil septentrional

Les prédateurs arctiques exploitent, eux aussi, les techniques de camouflage pour surprendre leurs proies. Ainsi le renard polaire chasse les oiseaux comme le lagopède et les petits mammifères comme le lièvre arctique, en utilisant la même technique de camou-

Farouche, ce renardeau polaire regagne sa demeure, bien à l'abri sous une couche de lave islandaise.

flage que ses proies. L'hiver, il est habillé d'une épaisse fourrure blanche, tandis qu'il se pare en été de brun-gris sur le dos, la tête et les membres, de beige sur le ventre et le poitrail. Une forme dite « bleue » du renard polaire existe sur les côtes et dans les îles, là où la neige se fait plus rare, ce qui rend un pelage sombre (avec des reflets bleus, d'où son nom) plus efficace pour passer inaperçu.

## La grande chouette blanche

Aussi énorme que notre hibou grand-duc avec ses deux kilos en moyenne et son mètre soixante d'envergure, la chouette harfang ou harfang des neiges est l'un des animaux les plus fascinants du Grand Nord. Consommatrice de lemmings – petits rongeurs qui prolifèrent dans des galeries creusées sous la neige –, elle garantit son succès à la chasse grâce à un plumage blanc comme neige pour le mâle, et blanc finement strié de noir pour la femelle. Seuls les yeux d'or ap-

Les ours polaires sont vêtus
d'une fourrure remarquablement adaptée au froid.
Mère et oursons resteront ensemble pendant deux années.

portent une tache de couleur à ces plumages hautement mimétiques, ajoutant à la majesté et à l'esthétique de cette chouette que tous les naturalistes amoureux des contrées septentrionales rêvent d'observer un jour.

**Le seigneur de l'Arctique**

En dépit des apparences, les poils de l'ours polaire ne sont pas vraiment blancs : ils sont translucides et creux, focalisant l'énergie solaire jusqu'à la peau noire qui, elle-même, retiendra la chaleur. La première fonction du pelage clair de ces ours est donc d'assurer une remarquable thermorégulation. Il est toutefois légitime de penser que leur pelage blanc est également un atout pour aller surprendre les phoques sur la banquise, un camouflage efficace dans ce grand univers blanc.

Errant sur la toundra nord-canadienne, cet ours polaire attend patiemment la formation de la banquise pour aller chasser le phoque.

# UN CAMOUFLAGE FATAL
## POUR LES PROIES

Pour qu'une embuscade soit réussie, il faut que l'effet de surprise soit total : il est donc essentiel, pour celui qui tend ce piège, que sa victime l'aperçoive au dernier moment. Le camouflage joue dès lors un rôle important chez les prédateurs qui utilisent cette technique. Les araignées-crabes, les mantes religieuses et autres vi-

Cette thomise,
installée sur une fleur, attend sa proie.

pères des sables sont parmi les chasseurs qui pratiquent ce camouflage offensif.

**De redoutables araignées au cœur des fleurs**
La famille des thomisidés comprend de nombreuses espèces de petites araignées trapues, toutes appelées aussi araignées-crabes, en raison de leur drôle de façon de fuir en se déplaçant de côté, à la manière des crabes. Elles s'installent dans le calice d'une fleur de couleur identique à la leur et chassent à l'affût les insectes pollinisateurs de ces fleurs. Redoutables, elles ne laissent aucune chance aux insectes auxquels elles tendent une embuscade, allant jusqu'à capturer de grosses espèces comme les bourdons. Jaunes, blanches, vertes ou roses, elles sont immobiles et parfaitement mimétiques.

Lorsqu'elles saisissent leurs proies entre leurs longues pattes, elles leur injectent un puissant venin paralysant, avant de les vider de leur substance.

Comme les caméléons, certaines thomises peuvent modifier leur coloration. Ainsi, la *Misumena vatia*, qu'on trouve dans toute l'Europe, est capable de passer du blanc éclatant (on la surnomme d'ailleurs « la mort blanche » !) au jaune vif, si elle s'installe sur une fleur jaune. Cette transformation nécessite un ou deux jours et s'opère grâce à un pigment contenu dans une cuticule que les thomises peuvent dilater ou contracter.

Dans la jungle de Bornéo, une autre araignée-crabe, la phrynarachne, a mis au point une remarquable stratégie de camouflage : elle tisse un tapis de soie blanche sur la feuille qu'elle a choisie et installe son corps noir et blanc au beau milieu, ressemblant à s'y méprendre à une fiente d'oiseau. Les papillons qui consomment ces fientes pour assouvir leurs besoins en sel, se posent innocemment sur l'araignée-leurre, qui ne tarde pas à en profiter.

## La tueuse en prière

La mante religieuse, ainsi appelée en raison de sa position de « prière », est un carnivore vorace. Célèbre pour le comportement cannibale de la femelle, qui dévore souvent le mâle après l'accouplement, elle l'est

Un incroyable prédateur :
la mante feuille ; il existe aussi des mantes fleurs.

lettes, ou blanche, ou encore jaune –, mais aussi la forme : le thorax et les pattes présentent des rebords aplatis dont la texture et la forme imitent à la perfection les pétales. Le résultat est d'autant plus saisissant que la mante se déplace par petits bonds saccadés qui lui donnent l'allure d'une fleur agitée par la brise. Lorsqu'elle est en embuscade, elle soulève son abdomen, qui ressemble alors à un bouton d'orchidée : le papillon croyant venir récolter du nectar n'a décidément aucune chance…

## Attention, sable dangereux

La vipère des sables, comme beaucoup d'animaux vivant dans les régions désertiques, a une couleur qui se confond tout à fait avec celle du substrat. Elle porte bien son nom puisqu'on la rencontre seulement dans les déserts sableux du Sahara et du Moyen-Orient. Sa couleur de fond varie entre le jaune sable et le jaune orangé. Elle chasse surtout à l'affût, s'enfouissant juste sous la surface du sable et ne laissant dépasser que ses yeux jaune doré (mimétiques eux aussi !), orientés vers le haut sur sa tête aplatie. Seule la trace en forme de « S » inversé qu'elle produit en s'enfouissant, témoigne de sa présence. Lorsqu'ils passent à portée de crochets, lézards, oiseaux et petits rongeurs, qui n'ont absolument pas vu le prédateur caché, sont surpris, mordus, et trépassent en quelques dizaines de secondes des suites du venin foudroyant. Un quart d'heure pour avaler, plusieurs jours pour digérer (jusqu'à un mois pour les proies les plus grosses), et la vipère s'enfouit pour surprendre à nouveau…

Sa cousine la vipère à cornes, ou céraste, doit son nom aux deux curieuses petites cornes dressées sur sa tête. Sa livrée mimé-

aussi pour son camouflage exemplaire et son art de l'embuscade. Ses pattes antérieures « ravisseuses », hérissées de piquants, sont utilisées à la manière d'une pince quand elles sont repliées. La mante est capable de rester immobile pendant des heures, prête à bondir, parfaitement dissimulée grâce à sa couleur vert feuille parmi la végétation verte, dans le cas de l'espèce la plus connue de nos régions. Quand un insecte s'approche, la mante projette ses hanches vers l'avant et déplie ses pattes, saisissant sa proie avec une rapidité foudroyante.

Plus de 1 800 espèces de mantes sont réparties dans les régions chaudes du monde entier. Beaucoup sont discrètement colorées ou camouflées mais, sous les tropiques, un certain nombre ont adopté des couleurs vives. Les plus spectaculaires sont les mantes fleurs qui s'assortissent parfaitement aux fleurs, pourtant complexes, sur lesquelles elles ont élu domicile. Leur mimétisme concerne non seulement la couleur – rose ou violette parmi les orchidées roses ou vio-

*Ci-dessus* : une vipère à cornes à l'affût dans un erg marocain.
*Page suivante* : cette vipère de l'Erg est invisible dans les sables sahariens.

tique ne lui est pas seulement utile pour l'affût dans le sable, car elle pratique également la chasse en maraude, capturant gerbilles, gerboises et autres rongeurs, ou encore les oiseaux qui dorment au sol comme les traquets. Certains chercheurs estiment que l'enfouissement de ces vipères est également destiné à les protéger de la forte irradiation solaire.

### Sonnettes et lianes

Sur le continent américain, les serpents à sonnettes, ou crotales, fréquentent les déserts mais aussi d'autres milieux moins arides, parfois même la forêt dense et humide. Tous ont en commun des dessins mimétiques gris ou bruns, bigarrés de blanc, qui les dissimulent efficacement. Le cascabel est un crotale qui peuple les forêts humides et chaudes d'Amérique Centrale et du Sud. Il mesure environ deux mètres et son venin est redoutable. Ses écailles brun clair, croisées de fines rayures blanches, le font passer inaperçu dans le sous-bois tropical.

Les serpents arboricoles pratiquent très souvent l'embuscade. On trouve chez certains d'entre eux de superbes illustrations du camouflage, comme ces minces serpents-lianes qui se suspendent aux branches et ne dépareillent pas parmi les plantes grimpantes qui les entourent, d'autant que la plupart d'entre eux sont d'une belle couleur verte. Ils se déplacent rapidement dans les feuillages, passant d'une branche à l'autre grâce à la longueur de leur corps qui leur permet de « jeter des ponts », et se nourrissent de lézards, d'oiseaux, parfois d'autres serpents.

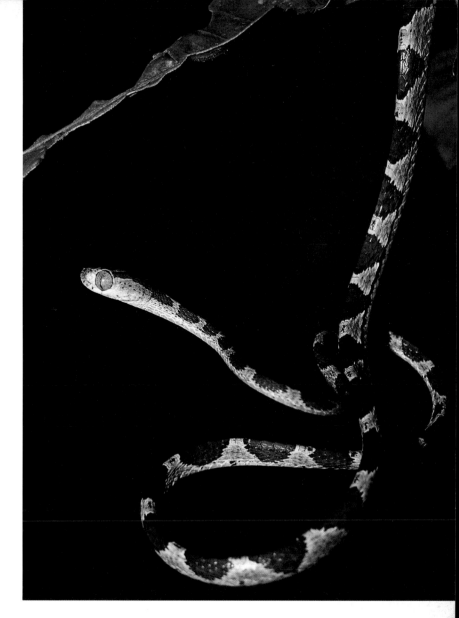

*Page précédente* : un serpent liane guyanais.

*Ci-contre en haut* : une autre espèce
de serpent liane de Guyane ;

*En bas* : les yeux démesurés
de ce serpent indiquent qu'il s'agit d'une espèce nocturne.

73

# DES IMITATEURS
# ET DES FAUSSAIRES

Lorsqu'une espèce animale ne possède aucune défense, lorsqu'elle est inoffensive, il ne lui reste que la dissuasion : il faut convaincre d'une manière ou d'une autre ceux qui s'approchent qu'ils risquent gros, même si c'est du bluff. Le salut réside alors dans l'imitation de la forme, de la couleur ou de l'allure d'une espèce venimeuse ou dangereuse déjà connue de l'ennemi.

**Des papillons très chouettes**

Nous avons déjà évoqué les ocelles des papillons, taches concentriques propres à effrayer bien des prédateurs. La stratégie consiste à se faire passer pour un autre, en l'occurrence pour bien plus dangereux qu'on ne l'est en réalité.

Plus ces faux yeux seront énormes, effrayants, mais aussi plus ils seront précis, meilleur sera le résultat. Certains papillons ont poussé loin la tromperie, en arborant sur leurs ailes des paupières, une pupille, un iris, parfois même des taches blanches simulant des reflets lumineux très réalistes. Il est évident qu'un petit passereau se retrouvant brutalement face aux yeux d'une chouette surgie de nulle part ne doit pas demander son reste…

Comme l'a dit Pasteur, « le théâtre du mimétisme se joue à trois : il y a un modèle, un mime, et une dupe. » Ici, le modèle c'est le rapace nocturne, le mime c'est le papillon présentant ses ocelles, et la dupe le prédateur, comme ce passereau insectivore qui préférera renoncer. Papillons de nuit comme les grands paons de nuit, papillons de jour et mantes excellent dans ces démonstrations de

*Ci-contre* : ce papillon du Costa Rica effraie les prédateurs
à l'aide de ses taches imitant des yeux de rapaces.
*Page suivante* : l'agencement des taches sur les ailes
de ce papillon ferait croire… que les animaux savent compter.

Un serpent « corail » (de la famille des Cobras) ;
son venin est très toxique mais, bien protégé
par ses couleurs vives, il est particulièrement placide.

faux regards effrayants, quelques batraciens se sont également es-
sayé aux ocelles.

Des expérimentations ont été réalisées afin de prouver la
véracité de cette stratégie d'imitation : les papillons dont on a artifi-
ciellement effacé les ocelles sont immédiatement dévorés par les oiseaux. En revanche, si l'on projette des images d'ocelles de part et
d'autre d'un inoffensif ver de farine, les oiseaux s'enfuient...

### Les poissons à bande noire n'ont pas de bon sens

Plusieurs espèces de poissons ont l'œil dissimulé dans une bande
noire. Il y a éventuellement plusieurs bandes sombres sur leurs
corps, mais il y en a toujours une pour l'œil. Pourquoi celui-ci est-il
camouflé ? Pour tromper le prédateur : l'œil est l'endroit où l'at-

taque est la plus meurtrière et, de plus, il indique le sens du dépla-
cement. Outre ces bandes noires et pour améliorer le leurre, ces
poissons présentent, comme les papillons de nuit, un faux œil, un
ocelle. Le prédateur va se tromper de côté lorsque le poisson dé-
marrera, et se tromper d'œil s'il atteint la proie. Cela a l'air trop
simple, et pourtant cela fonctionne !

### Vrais et faux serpents corail

En Amérique du Sud, il existe un cas d'imitation assez complexe : de
nombreux serpents habitant des milieux assez diversifiés arborent

une livrée « corail », faite d'anneaux successifs rouges, jaunes, noirs et blancs, disposés dans un ordre différent selon les espèces. Tous portent le nom de « serpents corail », mais ils appartiennent en fait à deux grandes familles. Les « vrais » serpents corail, des élapidés, sont très dangereux, leur venin étant mortel pour les oiseaux et les petits carnivores. En revanche, les « faux » serpents corail, des colubridés (couleuvres), sont parfaitement inoffensifs.

On comprend l'intérêt d'une telle tromperie quand l'espèce imitée est toxique mais non mortelle : l'animal leurré associera ces couleurs avec un mauvais souvenir et évitera les serpents corail, y compris les faux qui profiteront de la confusion. Mais les vrais serpents corail sont tellement dangereux que les prédateurs succombent immédiatement au poison. Il n'est donc pas possible pour eux d'apprendre par l'expérience et de transmettre celle-ci à leur progéniture, et il est difficile de saisir l'intérêt pour le faux corail d'imiter une espèce mortelle. Aucun prédateur vivant n'aura fait d'expérience cuisante, aucun prédateur vivant n'associera cette livrée corail au danger. Où est la logique ?

C'est le docteur Mertens, herpétologiste allemand, qui trouva la clé de l'énigme. Il découvrit qu'une autre couleuvre, également habillée de corail, avait un venin toxique mais non mortel. En fait, vrais et faux serpents corail sont des imitateurs de ce troisième reptile, qui laisse un souvenir cuisant à ses prédateurs, transmettant donc efficacement le message.

## Les guêpes ont de nombreux sosies

Chez les insectes, les couleurs ne sont pas seulement utilisées par ceux qui veulent avertir de leur toxicité, mais aussi par les faussaires pour faire croire qu'ils sont toxiques, et ainsi dissuader les prédateurs. Les plus couramment imités sont les hyménoptères, et plus

Un serpent « faux corail » de Guyane,
serpent à l'allure inquiétante… mais inoffensif.

77

particulièrement les guêpes. Ainsi, les syrphes – une variété de mouches – ressemblent à s'y méprendre à des guêpes ou à des abeilles, trompant les oiseaux insectivores, qui les évitent car ils les jugent venimeuses.

La liste est longue de ces insectes mimétiques des guêpes, quoique tout à fait inoffensifs. On peut citer des moustiques comme le cousin-guêpe, des mouches comme la volucelle-guêpe, des capricornes comme le capricorne-guêpe, mais aussi des coléoptères, des punaises, des criquets… La sésie apiforme, quant à elle, ressemble plus à une guêpe qu'à un papillon, et pourtant elle est bien papillon. Elle accentue la confusion en produisant un ronflement semblable à celui du bourdon et, pour parfaire le mime, visite les mêmes fleurs que ses modèles.

Mention spéciale pour les bombyles, petits insectes trapus et poilus, voisins des mouches mais ressemblant aux bourdons, qui exploitent cette similitude d'aspect en pratiquant un mimétisme dit « agressif » : ils pénètrent incognito dans les nids des bourdons ou des abeilles et y déposent leurs larves. Celles-ci commencent par dévorer les provisions de pollen, puis s'attaquent aux larves de leurs hôtes…

### La chouette rusée

La chouette des terriers habite les immenses prairies américaines, occupant, comme son nom l'indique, des terriers abandonnés par des mammifères comme les chiens de prairie, les fourmiliers ou les tatous, à moins que ceux-ci ne les occupent encore, auquel cas on assiste à une cohabitation pacifique étonnante. Cette situation rend la nichée vulnérable à plusieurs espèces de prédateurs terrestres. La chouette et ses poussins ont donc développé une adaptation tout à fait originale pour se protéger : bien cachés au fond de leur nid, ils produisent, grâce au claquement de leur bec, un bruit rappelant les crachements des crotales, serpents à sonnettes habitant les mêmes milieux et particulièrement craints. Il s'agit donc d'une imitation sonore, stratégie peu répandue.

### Un squatter sans vergogne

Une place particulière doit être réservée au coucou, qu'on entend bien plus souvent qu'on ne le voit. Chacun sait que le jeune expulse du nid, un par un, les œufs des hôtes parasités, pour profiter seul du nourrissage de ses parents adoptifs. Ces derniers s'épuiseront à la tâche pour nourrir cet ogre insatiable, très vite devenu bien plus gros qu'eux. Mais ce sont les talents de camouflage de l'espèce qui nous intéressent ici. Non seulement les coucous ressemblent aux éperviers par l'allure, ainsi que par les motifs et les teintes du plumage, ce qui leur permet probablement d'effrayer les passereaux qu'ils parasitent, mais leurs œufs sont mimétiques. La femelle choisit le nid où elle déposera un œuf qui ressemble toujours par la taille et la couleur à ceux de l'hôte, quel qu'il soit : brun foncé avec le pipit des prés, rosâtre tacheté de brun avec le rouge-gorge, bleu pâle avec le rouge-queue à front blanc. Un tel phénomène n'est pas encore clairement expliqué, et les recherches vont bon train…

Camouflage de survie, camouflage de prédation, camouflage de dissuasion… Toutes ces techniques de mimétisme sont étonnantes, mais aucune n'est parfaite. Et tant mieux ! Autrement, les prédateurs disparaîtraient, les proies proliféreraient, mâles et femelles auraient des difficulté à se rencontrer ou perdraient leurs petits… Encore un savant dosage de la Nature, contribuant à la plus grande diversité possible.

Cette syrphe ressemble
à s'y méprendre à une dangereuse guêpe.

# ADAPTATIONS EXTRAORDINAIRES

Les espèces animales se caractérisent par une adaptation permanente à leur environnement, qui leur permet de survivre et de se reproduire dans les meilleures conditions. Cet environnement leur impose en effet une organisation et un mode de vie particuliers, et les pousse à se spécialiser. C'est pourquoi de multiples ruses et astuces sont mises en œuvre dans le monde du vivant. Plonger en profondeur ou nager à merveille pour être en osmose avec le milieu marin, affronter avec brio le froid, le chaud ou la sécheresse dans les milieux extrêmes, tirer la langue, cracher, piquer ou mordre pour attaquer ou se défendre, les stratégies déployées par les animaux sont légion, et toujours édifiantes. Quant aux morphologies rencontrées, elles sont parfois invraisemblables ; c'est à se demander si la nature ne s'est pas fourvoyée… Pourtant, il y a certainement un sens à tout, même si nous ne le percevons pas. Par ailleurs, certaines créatures semblent venir du fond des âges : leur forme est quasiment identique à celle qu'elles avaient il y a des millions d'années…

# DES ARMES SECRÈTES

Qu'elles soient offensives ou défensives, les armes secrètes du monde animal présentent une diversité incroyable. Elles correspondent à des adaptations toutes plus étonnantes les unes que les autres : les caméléons déroulent une langue démesurée, la vipère heurtante frappe, certains cobras crachent, la veuve noire empoisonne, les mygales projettent des poils terriblement urticants… Quant aux animaux épineux, mieux vaut les éviter, car qui s'y frotte s'y pique !

*Double page précédente* : ce caméléon arpente les sous-bois des forêts épineuses du Sud malgache.

*Ci-dessus à gauche et à droite* : deux épisodes de la capture d'un insecte par un caméléon.

*Page suivante* : beauté et diversité des caméléons à Madagascar.

## La langue bien pendue des caméléons

Incontestablement les plus spécialisés au sein de la grande famille des lézards, les caméléons comptent plus d'une centaine d'espèces, que l'on trouve principalement dans les forêts humides d'Afrique et de Madagascar. Mesurant de deux jusqu'à plus de cinquante centimètres, mais néanmoins très semblables, ils sont tous dotés d'une queue préhensile, aussi utile qu'un cinquième membre. Leurs orteils sont opposables et partiellement soudés, adaptation propre aux espèces arboricoles, appelée zygodactylie, qui les aide à grimper plus efficacement.

Les caméléons sont célèbres pour leur capacité à changer de couleur, ce qui leur permet de se camoufler lors de l'approche d'une proie. Mais ces changements sont aussi associés à la température, au comportement et à l'humeur de l'animal. L'arme secrète la plus impressionnante des caméléons reste toutefois leur extraordinaire langue protractile, associée à des yeux globuleux et indépendants l'un de l'autre. Le principe est le suivant : perché sur sa branche, le caméléon semble dormir. Détrompez-vous ! Ses yeux bougent dans toutes les directions, puis il lève les pattes doucement et se déplace avec une lenteur incroyable, oscillant d'avant en arrière. Soudain, il déroule du fond de sa gueule une langue aussi longue que son corps ; il attrape un insecte, le ramène et l'engloutit aussitôt, le tout en une fraction de seconde… Ses yeux mobiles indépendamment l'un de l'autre lui apportent une perception remarquable du relief, bien utile pour apprécier les distances dans une végétation dense et viser sa proie avec une langue démesurée. Cette attaque foudroyante, d'autant plus efficace qu'elle est perpétrée par un animal mimétique, permet aux plus gros des caméléons de capturer avec leur langue gluante des oiseaux et des mammifères de petite taille…

*Page suivante* : ce caméléon, dont la livrée rappelle étrangement les tissus africains, traverse une piste de latérite au Kenya.

## Vipère heurtante… et cobra cracheur

Habitant les savanes et la brousse d'Afrique tropicale, la vipère heurtante est un gros serpent, au corps lourd, dont la longueur peut dépasser le mètre et demi. Elle possède des glandes venimeuses énormes et ses redoutables crochets, qui figurent parmi les plus longs de tous ceux de l'ordre des serpents, s'enfoncent profondément. Lorsqu'on la dérange, la vipère heurtante recule en une posture menaçante et donne les coups de tête qui ont inspiré son nom, gonflant son corps et soufflant bruyamment. Lorsqu'elle frappe sa proie ou l'intrus qui l'a surprise, elle le fait avec une extrême rapidité.

Les cobras appartiennent, quant à eux, à la famille des élapidés, dont tous les représentants fabriquent des venins extrêmement puissants. Le plus grand est le cobra royal, une espèce mangeuse de serpents, dont certains individus atteignent plus de cinq mètres. Le cobra indien, appelé aussi naja ou serpent à lunettes, est nettement plus petit, mais pas moins dangereux. À l'instar de quelques autres cobras, le cobra indien est un serpent cracheur, capable d'envoyer son venin sur ses adversaires grâce aux muscles puissants qui entourent ses glandes salivaires.

Mais le champion en la matière est incontestablement le cobra cracheur, ou ringhal, qui peut projeter son venin jusqu'à plus de deux mètres ! Les orifices des crochets sont situés sur la face antérieure, ce qui explique cette prouesse. Le venin est envoyé sous pression, en deux jets dirigés vers les yeux de l'agresseur, mécanisme adaptatif de défense contre les grands animaux – et l'homme ! – qui peuvent attaquer le serpent ou simplement marcher dessus. Ce venin puissant provoque une violente inflammation des yeux, susceptible de rendre la victime aveugle, momentanément ou définitivement…

## Une veuve empoisonneuse

À l'origine, le venin des araignées n'avait qu'une fonction digestive mais, au cours de l'évolution, elles ont commencé à fabriquer aussi des toxines paralysantes. La fameuse « veuve noire » est sou-

vent étudiée pour l'efficacité de son venin, qui possède plusieurs agents actifs : certains mettent les insectes hors de combat en détruisant leur système nerveux, d'autres agissent sur les terminaisons nerveuses des muscles des mammifères et des oiseaux, entraînant de violentes douleurs et la paralysie. Les Indiens utilisaient autrefois ce venin sophistiqué pour empoisonner leurs flèches, à l'instar des dendrobates, ces petites grenouilles très toxiques que nous avons déjà évoquées. En Amérique tropicale où elle vit, la " veuve noire » est redoutée, car elle s'introduit dans les maisons. Sa morsure est très douloureuse, mais néanmoins rarement mortelle pour l'homme.

Une cousine très proche de la « veuve noire » abonde en Corse et existe sur le continent : elle est appelée malmignatte (ce qui signifie « mauvaise petite bête ») ou encore « veuve noire du Midi ». Son venin s'avère également neurotoxique, mais elle est moins dangereuse (pour l'homme) que sa cousine américaine.

### La plus grosse araignée du monde

Résidant sous les tropiques, les théraphosidées, plus couramment appelées mygales, immobilisent et tuent insectes et petits vertébrés avec le venin qu'elles injectent par leurs chélicères. Incontestablement, les mygales sont les plus grosses araignées du monde. Le record est déte-

nu par *Theraphosa leblondi*, une mygale de couleur brune qui vit en Guyane et au Brésil. Elle mesure presque dix centimètres de longueur et jusqu'à 25 centimètres d'envergure lorsqu'elle étend ses grosses pattes velues. Quant à son poids, il peut atteindre 120 grammes…

En plus des morsures qu'elle inflige, cette grosse mygale partage avec quelques-unes de ses cousines une arme secrète tout à fait inattendue : lorsqu'elle se sent menacée, elle arrache une partie des poils de la face supérieure de son abdomen et « bombarde » l'ennemi à grande distance. Mais l'exercice ne s'arrête pas là : les poils projetés sont extrêmement urticants et peuvent devenir dangereux pour l'intrus, surtout lorsqu'ils atteignent les yeux…

*Ci-dessus* : cette mygale guyanaise a certainement projeté ses poils sur un adversaire, car son abdomen présente un aspect « pelé ».

*Page précédente* : la « veuve noire », araignée au venin d'une rare efficacité.

### Panoplies de piquants

Les mammifères à piquants ont adopté une arme défensive, qui peut s'avérer offensive. Les épines protègent, en effet, leur propriétaire, mais blessent aussi l'agresseur, parfois de manière volontaire. Les porteurs de piquants les plus connus, chez les mammifères, sont les porcs-épics, rongeurs du Nouveau et de l'Ancien Monde, et les hérissons, insectivores largement répandus en Europe, en Asie et en Afrique. Tous découragent leurs agresseurs avec leurs poils raides et lisses, qui peuvent provoquer des blessures graves, voire même la mort si elles s'infectent.

Les hérissons de nos régions portent plusieurs milliers de piquants, qui contiennent des poches d'air afin de peser moins lourd. Lorsqu'ils sentent le danger, ils se mettent en boule, ce qui les protège contre presque tous les prédateurs (les pattes cuirassées et les serres effilées de certains rapaces ne craignent pas les piquants du hérisson…).

Quant aux porcs-épics, les longues épines noires et blanches qui leur recouvrent les flancs, le dos et la queue peuvent mesurer jusqu'à cinquante centimètres. Certains porcs-épics de l'Ancien Monde sont assez vindicatifs : lorsqu'ils sont attaqués, ils redressent les piquants de leur dos et attaquent à leur tour, en arrière ou sur le côté, afin de planter leurs piquants dans l'ennemi. D'autres, comme les porcs-épics d'Amérique, tournent le dos à l'assaillant et le frappent avec leur queue redoutable. Comble de la sophistication, les épines se détachent facilement et portent à leur extrémité des petites barbes qui gonflent aussitôt dans la chair, ce qui les rend difficiles à extraire.

Les échidnés – étranges mammifères qui pondent des œufs – vivent en Australie et en Nouvelle-Guinée. Ces cousins des ornithorynques, lorsqu'ils sont menacés, s'enterrent en ne laissant dépasser que les piquants de leur dos. Seuls les fakirs auront envie de s'y frotter…

Au détour d'un sentier du Québec,
ce porc-épic expose au promeneur sa redoutable panoplie de piquants.

89

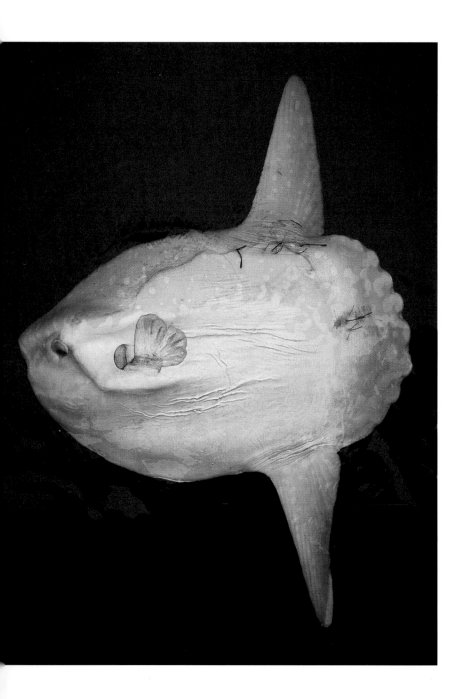

# BIZARRE…, VOUS AVEZ DIT BIZARRE ?

On a parfois l'impression que la nature s'est amusée à créer des formes incongrues. Dans la plupart des cas, ces adaptations étranges et ces morphologies saugrenues ont une réelle utilité, ou au moins pressent-on une explication. Mais certains mystères subsistent, ce qui ajoute encore au caractère passionnant du règne animal et laisse libre cours à bien des interprétations. Le très étrange poisson-lune mérite d'être connu, ainsi que les surprenants périophtalmes et « quatre yeux ». Chez les insectes, l'insolite n'a pas de limites, comme l'attestent, entre autres, cicadelles, pudibondes et lucanes. Et au sein des primates, c'est le nasique qui détient la palme du bizarre avec son nez excentrique…

**La « tête qui nage »**

Ainsi appelle-t-on parfois l'extraordinaire poisson-lune, ou môle, qui ressemble effectivement à une énorme tête. Peuplant presque tous les océans, ce poisson a un corps fortement comprimé sur les côtés, ce qui lui donne un air de crêpe géante, d'autant plus que la queue est atrophiée. Lorsque sa grosse forme grisâtre, vaguement argentée, nage juste sous la surface, on croirait suivre le reflet de la lune sur la mer… Autre allusion à sa forme, son nom scientifique, *Mola mola*, parce qu'il est plat et rond comme une meule ; une meule de belle taille, puisque son diamètre peut dépasser trois mètres, et son poids approcher les deux tonnes !

Assez mauvais nageur, le poisson-lune se prélasse souvent sur le flanc, en remuant paresseusement ses longues nageoires anale et dorsale. Méduses, crustacés et petits poissons sont indifféremment

L'étrange poisson-lune
peut atteindre trois mètres de long.

aspirés par sa bouche toute ronde. La femelle pond environ 300 millions d'œufs, probablement un record chez les poissons osseux. Et, comme pour ajouter encore à la bizarrerie de son existence, le développement du poisson-lune sort vraiment de l'ordinaire. Peu après l'éclosion, le minuscule poisson (3 millimètres) ressemble à l'extrémité d'une masse d'arme médiévale. Puis, il acquiert cinq longues épines dures, qu'il perd ensuite pour devenir plus large que long et trouver sa forme définitive. Ces stades sont si différents que, pendant longtemps, on a cru qu'ils correspondaient à des espèces distinctes…

### Quatre yeux pour le prix de deux !

Les anableps, également appelés « quatre yeux », sont des poissons d'une vingtaine de centimètres, qui fréquentent les mangroves d'Amérique Centrale et du Sud. Ils vivent dans des eaux chargées en sédiments, au sein desquelles la turbidité est très variable. Leurs yeux ont une disposition anatomique absolument unique dans le règne animal : chaque œil est divisé horizontalement en deux parties égales par une cloison de couleur foncée. Le poisson reste en permanence à la surface de l'eau, laissant dépasser la moitié supérieure de ses yeux. Grâce à cette disposition et à une rétine adaptée à la vision simultanée des objets situés dans l'air et dans l'eau, le bien nommé « quatre yeux » peut à la fois surveiller les prédateurs le menaçant depuis le « haut », comme les hérons, et ceux qui viennent du fond de l'eau, un poisson carnivore, par exemple. Cette adaptation extraordinaire lui est également utile pour se nourrir, puisqu'il capture aussi bien des insectes volants que de petits animaux aquatiques.

Quant à la reproduction des anableps, elle présente une particularité insolite : l'organe copulateur des mâles, qu'on appelle gonopode, est articulé. Certains mâles ne peuvent le diriger que vers la droite, d'autres vers la gauche. Pour que l'accouplement soit possible, la nature a tout simplement doté les femelles d'un orifice génital situé soit à droite, soit à gauche : il suffit donc que les prétendants fassent le bon choix…

Ces anableps nagent
dans une mangrove près de Cayenne.

**Le poisson promeneur**

Le périophtalme, dans les mangroves tropicales, offre un bien étrange spectacle : voilà un poisson qui présente une grosse tête de crapaud et qui sort de l'eau à marée basse pour aller chercher sur le rivage les insectes et les petits mollusques dont il se nourrit. Bien qu'il ne possède pas de poumons, il peut, en effet, subsister plusieurs heures à l'air libre, grâce à la réserve d'eau qu'il stocke dans ses branchies. Dépourvue d'écailles, sa peau est recouverte de petites vésicules remplies de liquide lymphatique : cela permet au poisson de ne pas se dessécher lors de ses longues « sorties à terre ».

Les yeux des périophtalmes, indépendants et très mobiles, à la manière de ceux des caméléons, sont placés sur le sommet du crâne, tels des périscopes, et adaptés aussi bien à la vision aérienne qu'à la vision sous-marine. Leurs larges nageoires pectorales fonctionnent comme des pattes, ils peuvent ainsi sautiller sur

le rivage – d'où le nom de « poisson promeneur » qu'on leur donne volontiers – mais aussi grimper sur les racines de palétuviers ou se hisser sur les rochers. Ils sont même capables, en s'aidant de leur queue, de sauter d'un perchoir à l'autre. Finalement, certaines de leurs habitudes les rapprochent plus des amphibiens que des poissons…

**Un cerf-volant combatif**

Atteignant parfois huit centimètres de long, le lucane cerf-volant est le plus gros des coléoptères européens. Il porte une livrée brun foncé, très brillante et, comme chez tous les représentants de cette famille, le dimorphisme sexuel est très marqué : les mâles possèdent des mandibules énormes, beaucoup plus développées que celles des femelles, et dotées de ramifications qui les font ressembler aux bois d'un cerf.

Ce « cerf » n'est toutefois pas un très bon « volant », car son énorme appareil buccal est plutôt un handicap : il est obligé de voler le corps presque à la verticale pour compenser le poids des mandibules. En revanche, ces dernières sont des armes efficaces : elles permettent au coléoptère de saisir l'adversaire, de le soulever et de le faire tomber en utilisant ses cornes comme un levier ou un ouvre-bouteilles. Lors de la recherche de nourriture, les affrontements sont plus spectaculaires que meurtriers, mais lors des duels entre mâles pour la possession des femelles, les combats sont si acharnés que les adversaires arrivent à s'entailler les élytres ou la tête !

*Ci-dessus* : un périophtalme
sort de l'eau au Sénégal.

*Page suivante en haut et en bas* :
le célèbre et faussement
redoutable lucane cerf-volant.

## Le seigneur de l'anneau

Chenille d'un papillon aux couleurs insignifiantes vivant dans les forêts tempérées, la pudibonde porte une livrée contrastée, avec son corps vert-jaune et noir velouté, habillé de grands pinceaux de poils or et argent. Ses plantes nourricières sont les bouleaux, charmes, hêtres, chênes et ormes, et elle affectionne particulièrement le houblon et les rosiers... rien d'extraordinaire pour une chenille. C'est sa manière de se protéger qui rejoint l'étrange : lorsqu'elle se sent

*Ci-dessus* : l'étrange chenille
de la pudibonde en position de défense.
*Page suivante* : la même chenille,
mais cette fois déroulée.

menacée, elle se roule en boule et forme un anneau absolument parfait, impossible à identifier par quelque prédateur que ce soit. Et si un intrus essayait tout de même de la saisir, il aurait affaire à ses poils urticants...

## Drôles de cigales...

Les cicadelles de Madagascar sont des insectes proches des cigales. Cicadelle adulte et larve pratiquent, chacune à sa façon, un mimétisme de groupe tout à fait insolite. Les larves, de couleur blanche, se regroupent sur un tronc en grand nombre : de près, étrange vision, on croirait voir une multitude de danseuses miniatures en tutus et dentelles blanches, tandis que, de loin, elles passent pour un lichen clair recouvrant l'arbre, ou des fientes d'oiseaux, et ainsi n'attirent pas l'attention des prédateurs. Les cicadelles adultes, en revanche, sont très colorées ; leur stratégie de camouflage est différente : il s'agit d'imiter les fleurs. De nombreux arbres de Madagascar portent des fleurs directement sur les troncs, à l'instar du cacao (ce phénomène est appelé cauliflorie) : les cicadelles se répartissent tout autour d'un tronc qui, paré des couleurs vives de ces petites cigales, donnera facilement l'impression d'être en pleine floraison.

*Page précédente* : les cicadelles de Madagascar, à l'étrange mimétisme de groupe ; *à gauche* : les larves ; *à droite* : les adultes.

*Ci-dessus* : détail d'une larve de cicadelle de Madagascar.

### Cyrano chez les singes

Vêtus d'un pelage fauve et roux, tout en nuances, et dotés d'une longue queue, les nasiques comptent parmi les plus grands singes d'Asie : le mâle pèse jusqu'à 24 kilos et la femelle environ la moitié. Ils habitent les régions côtières de Bornéo, principalement dans les mangroves et le long des rivières. Cet habitat amphibie les oblige à être d'excellents nageurs et ils ont, d'ailleurs, les pieds et les mains en partie palmés. Les nasiques se nourrissent principalement de fruits, de graines et de feuilles, parfois de chenilles. Ils passent le plus clair de leur temps dans les arbres, ce qui leur permet également d'éviter les prédateurs, comme le léopard. D'autres prédateurs leur inspirent de la crainte : les crocodiles, qui pullulent dans les mangroves. Pour cette raison, les nasiques ne s'attardent jamais dans les rivières, malgré leurs talents de nageurs, préférant les traverser en passant par les arbres lorsque cela est possible.

Mais ce qui distingue les nasiques des autres singes, c'est l'incroyable appendice nasal des mâles : ils sont affublés d'un énorme nez sans cartilage qui pendouille au-dessus de la bouche et tremblote lorsqu'ils se nourrissent, du plus bel effet comique. Celui des femelles, nettement plus petit et plus élégant, est plutôt pointu, tandis que les jeunes ont un petit nez en trompette tout à fait attendrissant. La fonction de ce nez vraiment hors du commun – si fonction il y a – reste un mystère. Certains primatologues pensent qu'il pourrait être le résultat de la sélection sexuelle : les femelles jugeraient de la valeur d'un partenaire en fonction de la taille de son nez.

Comme bien d'autres primates à travers le monde, les nasiques sont victimes de la déforestation à Bornéo, qui réduit dangereusement leur habitat. Ils sont considérés maintenant comme une espèce menacée, et la préservation de ces singes flamboyants au gros nez devient indispensable.

Un nasique dans la forêt marécageuse
de la basse Kinabatangan, à Bornéo.

# DES ANIMAUX
## DU FOND DES ÂGES

Comme chacun sait, une catastrophe planétaire balaya, à la fin de l'ère secondaire, les dinosaures et tous les grands reptiles. Tous ? Non, les crocodiles et les tortues survécurent et survivent encore, presque identiques soixante-cinq millions d'années plus tard, véritables fossiles vivants. Quant au célèbre archéoptéryx, le premier oiseau identifié en tant que tel, il a disparu mais certains de ses descendants directs existent encore, à l'image de l'étrange hoatzin. Chez les primates aussi, certaines espèces semblent issues des premiers temps : les prosimiens ou lémuriens ne sont presque pas différents de leurs ancêtres…

### Le petit cousin de l'archéoptéryx

Étrange oiseau, en vérité, que celui dont on a découvert le fossile en 1860, en Allemagne ! Mi-reptile, mi-oiseau, il avait une longue queue osseuse, chacune de ses pattes avant avait trois doigts distincts se terminant par une griffe recourbée, et son crâne portait des mâchoires osseuses. Les savants l'ont appelé « Archéoptéryx », ce qui signifie « aile ancienne ». Quelques oiseaux portent encore de telles griffes aujourd'hui, et plus particulièrement un oiseau bizarre qui vit dans les arbres bordant les rivières et les lagunes d'Amérique du Sud, le hoatzin huppé.

Sa silhouette rappelle un peu celle des faisans : il possède un corps svelte, de grandes ailes arrondies et une longue queue.

Excepté sa petite tête bleu vif, qui porte une touffe de longues plumes raides et ébouriffées, il est plutôt brun et roux. Mais ce qui nous intéresse ici, c'est que l'hoatzin présente deux caractéristiques originales, extrêmement primitives et uniques dans le monde des oiseaux d'aujourd'hui.

Tout d'abord, il possède un énorme jabot, qui occupe près du tiers de son corps. Ce jabot sert à la fois de réserve à aliments et de poche où l'hoatzin digère les feuilles caoutchouteuses de l'arum, qui constituent sa nourriture principale. Deux jours plus tard, il expulse les restes de son repas, qui sent la bouse de vache, d'où le nom d'oiseau « puant » que lui ont donné les habitants de ces régions.

Autre caractère très primitif, les griffes : lorsqu'ils naissent, les jeunes de l'hoatzin ont deux griffes bien formées sur chaque aile, ce qui rappelle l'archéoptéryx. Ces griffes vont leur servir à sortir du nid et à circuler dans les branches des palétuviers ; ils sont également capables, grâce à elles, de remonter jusqu'à leur nid depuis l'eau dans laquelle ils se sont laissés tomber en cas d'alerte. Les hoatzins perdent à l'âge adulte ces griffes, héritage d'un ancêtre qui était peut-être mi-reptile, mi-oiseau… En tout cas, il a survécu au cours des âges, sans changer, alors que les espèces qui lui étaient apparentées ont toutes disparu.

### Les primates des premiers temps

Ancêtres des singes et de l'homme, les lémuriens sont des primates « prosimiens », ce qui signifie littéralement « qui précèdent les

L'étonnant hoatzin dans les Llanos de l'Orénoque, au Venezuela.

Posture étrangement humaine chez ce Propithèque de Verreaux, lémurien malgache.

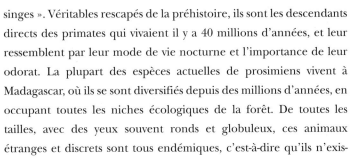

singes ». Véritables rescapés de la préhistoire, ils sont les descendants directs des primates qui vivaient il y a 40 millions d'années, et leur ressemblent par leur mode de vie nocturne et l'importance de leur odorat. La plupart des espèces actuelles de prosimiens vivent à Madagascar, où ils se sont diversifiés depuis des millions d'années, en occupant toutes les niches écologiques de la forêt. De toutes les tailles, avec des yeux souvent ronds et globuleux, ces animaux étranges et discrets sont tous endémiques, c'est-à-dire qu'ils n'exis-

*Ci-dessus* : deux lémuriens malgaches ;
*à gauche* : l'Indri, le plus grand ;
*à droite* : le microcèbe, le plus petit.
*Page suivante* : le *Lemur variegatus.*

tent pas ailleurs que dans la Grande Île. Drôles, mystérieux, ils possèdent bien des caractéristiques qu'on ne trouve pas chez les autres animaux.

## Tortues et crocodiles, les survivants du passé

La tortue radiée est la survivante d'une faune presque entièrement disparue. Elle vit dans les forêts d'épines du sud de Madagascar, région désertique. C'est une grande et belle tortue, à carapace bombée et aux pattes en forme de colonne, comme les tortues terrestres des livres d'images de notre enfance. Mais son existence est sérieusement menacée : non seulement elle est consommée localement, mais – beaucoup plus grave – elle est exportée en grandes quantités à la Réunion et à l'Île Maurice, et victime des trafiquants d'animaux. Le crocodile de l'Orénoque, quant à lui, est un colosse qui peut atteindre six mètres, c'est l'un des plus grands crocodiles vivants. Son museau est allongé et étroit, ce qui indique une alimentation surtout composée de poissons.

Ces deux reptiles, à l'instar des tortues et des crocodiles en général, ont en commun l'incroyable durée de leur lignée. Survivants du passé, ils sont extrêmement peu différents de leurs ancêtres – les fossiles sont presque identiques – qui vivaient déjà à l'ère secondaire, avant et pendant l'âge d'or des dinosaures !

*Page précédente* : la rarissime tortue radiée
du Sud malgache, dans son habitat naturel.

*Ci-dessus* : les dents redoutables
du très rare crocodile de l'Orénoque, au Venezuela.

*Double page suivante* : le crocodile de l'Orénoque
est quasiment invisible dans les plantes flottantes
qui abondent dans les Llanos de l'Orénoque.

# AVENTURIERS DE L'EXTRÊME

Lorsque l'environnement est trop froid, trop chaud, trop sec, trop salé ou trop sombre pour que la vie s'y développe normalement, on qualifie les conditions du milieu d'extrêmes. Les espèces qui ont réussi à coloniser ces zones ont développé des adaptations souvent extraordinaires. S'enfouir pendant une partie de sa vie, adapter son développement aux mares temporaires, accomplir tout un cycle vital dans l'année, ne s'abreuver que de rosée, passer l'hiver dans l'eau chaude, les exemples du génie animal ne manquent pas. Et que dire de ce poisson qui peut respirer hors de l'eau parce qu'il a des poumons ?

## Grenouilles de pluie

Les « rain-frogs », qui vivent dans les zones arides de l'Afrique du Sud, sont ainsi appelées – on pourrait traduire leur nom par « grenouilles de pluie » – parce les mâles commencent à chanter juste avant la mousson, et sont considérés comme les annonciateurs de la pluie, de la même façon que le chant des premiers coucous confirme l'arrivée de notre printemps. Ces grenouilles rondelettes d'environ huit centimètres de diamètre ont résolu les problèmes de sécheresse inhérents à leur habitat en s'enfouissant dans le sable ou la terre pendant la plus grande partie de leur vie, ne sortant que pour la reproduction. Ainsi, dès qu'elles sentent arriver les premières pluies, les rain-frogs sortent toutes en même temps, par centaines, offrant un spectacle insolite. Pendant deux ou trois jours, elles vont se reproduire, puis iront finir leur cycle sous terre, et ne ressortiront qu'à la pluie suivante…

## Le pionnier des flaques

Plus près de nous, le crapaud calamite est une espèce pionnière qui colonise des milieux habituellement peu favorables aux amphibiens, parce que victimes d'un assèchement périodique : mares temporaires, flaques, ornières inondées. Sa mobilité et sa résistance à la déshydratation favorisent sa survie, d'autant mieux qu'il a la capaci-

té d'ajuster ses dates de ponte à celles des inondations ! Finalement, il tire avantage de ces milieux ingrats : la faible profondeur d'eau permettra un réchauffement plus rapide, et les prédateurs de têtards, tels qu'insectes aquatiques et poissons, y seront rarement présents, en raison de l'assèchement régulier…

## Poissons annuels

Encore des amateurs de mares temporaires, mais cette fois ce sont des poissons : de tout petits poissons de la famille des cyprinodontidés, qui mesurent quelques centimètres et sont très colorés. On les trouve en Afrique de l'Ouest et en Amérique du Sud ; ils fréquentent donc des milieux qui ne sont en eau que quelques mois pendant la saison des pluies – flaque dans une empreinte d'éléphant, marigot… –, puis s'assèchent et le sol redevient dur comme de la pierre.

La seule solution pour survivre dans ces conditions est d'avoir un cycle de vie extrêmement rapide. À la saison des pluies, les alevins naissent, se développent très vite, devenant adultes en quelques semaines seulement, puis se reproduisent et pondent. Lorsque le milieu s'assèche, tous les adultes meurent, on ne trouve plus un seul poisson adulte vivant au sein de ces espèces… Quant aux œufs, ils se conservent parfaitement dans leur gangue de terre sèche pendant six mois et, dès que la flaque est en eau, donnent naissance en quelques heures à une nouvelle génération d'alevins. Ce sont donc des poissons qui accomplissent un cycle de vie entier dans la même année, encore une adaptation extraordinaire aux conditions extrêmes !

*Page suivante en haut* : une des rares sorties d'une « rain-frog », en Afrique-du-Sud.

*En bas à gauche* : deux crapauds calamites en accouplement.

*À droite* : l'œil jaune du crapaud calamite permet de le distinguer du crapaud commun, qui a l'œil orange.

### Un poisson avec des poumons ?

En 1938, on découvrit une créature étrange qui alimenta la polémique : poisson ou amphibien ? Il faut reconnaître que le dipneuste, que l'on sait aujourd'hui être un poisson, avait de quoi tromper son monde : son appareil respiratoire lui permet de respirer indifféremment dans l'eau et dans l'air (d'où son nom de dipneuste, qui signifie en grec « double respiration »). En plus de leurs branchies, les dipneustes possèdent en effet au-dessus de l'intestin un ou deux organes à alvéoles qui font office de poumons…

Six espèces de ces poissons pulmonés subsistent aujourd'hui : quatre en Afrique, une en Australie et une en Amérique du Sud. Cette respiration pulmonée permet aux dipneustes de s'enfouir, comme les batraciens, lorsque le marécage ou le cours d'eau au sein duquel ils ont élu domicile s'assèche complètement. Ainsi les dipneustes africains, au début de la saison sèche, creusent un terrier dans la vase et s'y enfouissent pour entrer en léthargie, repliés sur eux-mêmes, en prenant soin de diriger leur tête vers le sommet afin de pouvoir respirer – de l'air par leurs poumons – par l'ouverture qu'ils auront aménagée. Lorsque la saison des pluies arrive, le cocon est détruit par la première crue et les dipneustes retrouvent leur liberté ; ils entreprennent de se reproduire, retrouvant alors l'usage de leurs branchies. Ancêtres des vertébrés terrestres, les dipneustes présentent évidemment un grand intérêt scientifique en matière d'évolution.

### L'oryx et la rosée du matin

Les oryx sont de grandes antilopes aux longues cornes effilées qui vivent dans les steppes et les déserts d'Afrique et du Moyen-Orient, et dont le pelage très clair réfléchit les rayons du soleil. Afin d'éviter les grosses chaleurs, c'est aux heures les plus fraîches de la journée qu'ils se nourrissent des plantes grasses, des tubercules et des racines

L'oryx est un des mammifères les mieux adaptés
aux conditions arides du désert namibien.

qu'ils arrivent à trouver. Ils ne s'abreuvent à proprement parler que très rarement, restant des semaines ou des mois sans boire, mais tirant toute l'eau dont ils ont besoin de la rosée couvrant les feuilles au petit matin, ou des feuilles des plantes grasses gorgées d'eau. Ils peuvent aussi détecter l'eau si elle est à faible profondeur, creusant alors avec leurs sabots pour l'atteindre.

Tout comme l'addax, autre antilope du désert, et le dromadaire, les oryx ont développé une autre adaptation pour résister à la canicule : ils disposent en quelque sorte d'un climatiseur dans le nez qui, grâce à un réseau de vaisseaux sanguins circulant dans les replis humidifiés de leurs vastes fosses nasales, refroidit la température du sang de quelques degrés avant qu'il n'irrigue le cerveau. Ils peuvent ainsi laisser leur température corporelle s'élever à 45 °C, ce que la plupart des mammifères – l'homme y compris – ne supporteraient pas…

### Cure thermale pour singes…

Sur les hauts plateaux japonais, au cœur de la grande île de Honshu, l'hiver est rude, et les températures descendent fréquemment jusqu'à –20 °C. Dans une petite vallée appelée la « vallée de l'enfer » en raison de l'activité volcanique qui y règne, vivent les singes les plus nordiques du monde : les macaques du Japon. Comment survivent-ils à de telles températures ?

Tout a commencé, semble-t-il, en regardant vivre leurs semblables humains. Les montagnes du Japon sont riches en sources

thermales, et le bain en famille dans ces eaux chaudes a toujours été une tradition familiale. Au début des années 1960, une jeune femelle macaque a suivi l'exemple des hommes en venant se baigner non loin d'eux dans ces bassins fumants aux senteurs de soufre, et a goûté au bien-être de ces eaux à 40 °C. L'information a été transmise à ses congénères, et rapidement une colonie de macaques est venue s'installer ; elle n'est jamais repartie et, de génération en génération, les macaques profitent de ces sources chaudes providentielles.

À cette adaptation comportementale, s'ajoute une adaptation morphologique : les macaques du Japon sont dotés d'une fourrure protectrice bien plus longue et épaisse que celle des autres singes, sous laquelle un duvet fin et court est implanté. Une fourrure polai-

re et de l'eau chaude à volonté, quoi de mieux pour affronter les rigueurs de l'hiver japonais !

Lorsqu'un manteau de neige recouvre la vallée de l'enfer dans un silence ouaté, il fait bon se baigner dans ces piscines naturelles, le nez à –20 °C et le corps à +40 °C. Mais le plus extraordinaire, ce qui rend l'atmosphère encore plus irréelle et troublante, ce sont ces singes qui font de même à quelques mètres, leur fourrure brun clair et leur face rouge auréolées de givre, semblant perdus dans leurs pensées…

*Page précédente* : la toison épaisse de ce macaque du Japon le protège ` des rigueurs de l'hiver, pendant lequel la température peut atteindre –20 °C.

*Ci-dessus* : bien-être et détente pour ces macaques du Japon qui survivent grâce aux bains dans les sources chaudes à 40 °C.

113

# AS DE LA PLONGÉE
# ET NAGEURS ÉMÉRITES

Munis de poumons et non pas de branchies comme les poissons, les mammifères marins ont dû développer de multiples adaptations pour affronter les exigences de la vie en milieu marin. Les plus impressionnants sont les plongeurs en eau profonde, pour lesquels retenir sa respiration n'est pas la seule tâche : les conséquences néfastes de la pression – très importante en grande profondeur – restent un obstacle majeur qu'il faut contourner d'une manière ou d'une autre. Alors qu'un homme peut descendre à 60 mètres sous l'eau sans équipement, la loutre approche les 100 mètres assez facilement, ce qui reste encore timide eu égard au demi-kilomètre de profondeur atteint par le grand dauphin.

Bien sûr, l'évaluation de ces performances doit également prendre en compte la durée des apnées. Tous critères confondus, les éléphants de mer effectuent de véritables prouesses, mais ce sont les grands cachalots qui possèdent le dispositif de plongée le plus extraordinaire...

Les oiseaux ne sont pas en reste. Pour éviter de s'assommer à coup sûr quand ils plongent de très haut, fous et phaétons se sont munis d'airbags ! Quant aux manchots, non seulement ils sont capables de plonger assez profondément, mais ils sont aussi de remarquables nageurs...

## Plongées profondes pour de drôles d'éléphants

Les éléphants de mer sont de loin les plus grands représentants de la famille des phoques : les mâles peuvent mesurer jusqu'à six mètres de long. Ils doivent leur nom à cet appendice nasal – uniquement présent chez les mâles – qui ressemble vraiment à une trompe chez les individus adultes. Les mâles sont presque deux fois plus grands que les femelles, dimorphisme sexuel facile à observer lorsqu'ils évoluent maladroitement et lourdement au sein de leurs harems, sur les-

quels ils ont souvent assuré la prédominance après de rudes combats. Les femelles ne mettent au monde qu'un seul petit à la fois qui,
de 25 kilos à la naissance, pèsera jusqu'à 200 kilos une fois sevré
(trois semaines après) grâce à un lait maternel très riche.

Il existe deux espèces très proches : l'éléphant de mer du Sud vit
sur les îles sub-antarctiques et, de manière générale, dans les mers de

*Page précédente* :
un éléphant de mer septentrional.

*Ci-dessus* : posture de menace
chez un éléphant de mer mâle.
Après avoir failli disparaître, l'espèce
est en expansion dans les eaux mexicaines
et californiennes.

revanche, si la fuite pour échapper à un prédateur (orque…) s'impose, ou si le manque de proies nécessite des explorations plus profondes, les éléphants de mer plongent vers les abysses, atteignant des profondeurs et des durées de plongée record…

Un certain nombre d'adaptations morphologiques, physiologiques ou comportementales leur permettent d'accomplir ces prouesses. Tout d'abord, lorsqu'ils plongent, leurs narines et leurs oreilles se ferment naturellement, et le fond de la bouche est obstrué par la langue. Ensuite, pour consommer moins d'oxygène, les artères périphériques se resserrent et la plus grande partie du sang est envoyée vers le cerveau, ce qui a pour effet de ralentir le cœur. Autre adaptation : les éléphants de mer ne souffrent pas du mal des profondeurs lié à la pression, car ils expirent la plus grande partie de l'air qu'ils ont dans les poumons avant de s'immerger, ce qui leur permet en outre de « descendre » plus facilement. Enfin, des biologistes se sont aperçus que pour habituer leur organisme à ces incursions profondes, les éléphants de mer plongeaient à plusieurs reprises, en augmentant progressivement la profondeur de leurs immersions ; ultime et remarquable adaptation pour ces plongeurs extrêmes…

### Le léviathan des grands fonds

Le grand cachalot est devenu à jamais célèbre grâce au roman d'Herman Melville – inspiré d'un récit authentique – qui raconte l'affrontement entre l'obstiné capitaine Achab et le cachalot albinos Moby Dick, particulièrement intelligent. Géant parmi les baleines à dents (odontocètes), on le trouve dans toutes les mers du globe. Le mâle, plus grand que la femelle, mesure entre quinze et

l'hémisphère Sud, tandis que l'éléphant de mer du Nord fréquente essentiellement les îles au large de la Californie méridionale. Passant de nombreux mois en pleine mer, ces gros phoques chassent les calmars et les poissons qui vivent en eau profonde, accomplissant de véritables performances puisque certains plongent jusqu'à des profondeurs de 1 500 mètres, immergés pendant près de deux heures.

En réalité, tous les phoques peuvent rester de longs moments sous l'eau et plonger à de grandes profondeurs – ce qui n'est pas le cas des otaries –, mais les éléphants de mer sont les mieux adaptés. Dans la plupart des cas, la durée moyenne de plongée n'excède pas 30 minutes, ce qui semble suffire pour attraper leurs proies. En

*Ci-contre* : un jeune éléphant
de mer septentrional.
*Page suivante* : un grand cachalot nageant
dans les eaux des Açores (Portugal) ;
sa tête est surmontée d'un énorme « melon ».

vingt mètres, pour un poids atteignant les cinquante tonnes. La tête surmontée d'un énorme melon mesure le tiers de la longueur du cachalot ; l'évent y est situé en haut à gauche, ce qui donne au souffle une inclinaison à gauche identifiable de loin.

Le grand cachalot se distingue pour une autre raison : il détient le titre de champion d'apnée profonde, parmi les mammifères. En effet, son mets favori, le calmar géant, vit dans les abysses ; cela ne décourage en aucun cas la baleine, qui plonge à la verticale pour aller combattre les calmars, parfois à plus de deux mille mètres de fond (record à trois mille mètres), en effectuant des apnées qui peuvent atteindre quatre-vingt-dix minutes, et en refaisant surface à peu près au même endroit, apparemment fraîche et dispose.

Ces prouesses sont véritablement exceptionnelles pour un mammifère, et les savants se sont longtemps interrogés… La solution de l'énigme réside en fait dans l'énorme tête du cachalot qui contient l'organe du « spermaceti », une huile très fine, à l'état liquide en surface et jadis très recherchée par les chasseurs de baleines. Lorsque le cachalot plonge, l'eau devient de plus en plus froide et l'huile commence à figer, d'autant mieux qu'il l'aide à se refroidir en diminuant la circulation du sang dans son crâne et en faisant circuler de l'eau dans le melon grâce au conduit nasal droit. Ceci amène rapidement le spermaceti à se solidifier, ce qui le rend plus dense et l'alourdit, facilitant la plongée de l'animal.

Une fois la profondeur souhaitée atteinte, le cachalot se met à l'affût et tente de capturer les calmars qui passent à sa portée. Lorsqu'il décide de regagner la surface, il augmente la circulation du sang qui irrigue le spermaceti, ce qui a pour effet de fluidifier l'huile : la tête est à nouveau plus légère et l'animal remonte plus facilement…

Le grand cachalot est donc capable de contrôler sa flottabilité à volonté grâce à un véritable système de ballast qui lui permet d'atteindre les grands fonds en dépensant très peu d'énergie. Extraordinaire adaptation !

Toutefois, on suppose que les combats qui se déroulent dans les abysses ne doivent pas être de tout repos : le calmar géant (*Architeutis princeps*) n'est plus une légende. On sait maintenant, grâce aux restes trouvés dans l'estomac des cachalots, que l'adulte est long de vingt mètres et pèse une tonne, et ses dix tentacules semblent puissants ! Ainsi, le grand cachalot affronte d'autres titans, aussi longs que lui, voire beaucoup plus longs : la taille des cicatrices de ventouses relevées sur le corps de certains cachalots laisse imaginer l'existence de calmars à l'envergure incroyable. Bien des créatures restent à découvrir dans les grands fonds…

## Les airbags du fou

Plusieurs espèces d'oiseaux mangeurs de poissons plongent à la volée, c'est-à-dire depuis les airs. Ainsi pêchent le martin-pêcheur de nos rivières ou les sternes, mais le plongeur le plus impressionnant sous nos latitudes reste le fou de Bassan. De la taille d'une oie, ce grand planeur marin aux ailes effilées, qui peut atteindre 1,80 mètre d'envergure, survole la mer avec beaucoup d'allure, en se jouant du vent. Amateur de maquereaux, de harengs et autres poissons, mais aussi de calmars, il repère ses proies et estime facilement les distances, grâce à la disposition de ses yeux (cerclés d'un bleu du plus bel effet…), lui assurant une très bonne vision binoculaire.

Scènes de vie du fou de Bassan ;
*en haut à gauche* : ses ailes effilées et sa grande envergure lui permettent de planer longtemps ;
*à droite* : la position de ses yeux lui donne une bonne vision binoculaire et lui permet de bien apprécier les distances ;
*en bas* : il plonge à une vitesse qui peut atteindre 160 km/heure.

Ajustant sa position, il plonge généralement d'une hauteur d'environ 30 mètres, de manière spectaculaire : son grand bec conique en avant, il pique la tête la première, verticalement, à une vitesse qui peut atteindre 160 kilomètres/heure. L'onde de choc produite étourdit souvent la proie, ainsi plus facile à capturer. Généralement, le fou plonge sous sa victime et la capture avec le bec en remontant vers la surface, se propulsant avec ses pattes et ses ailes. La scène dure une dizaine de secondes, et se déroule jusqu'à une dizaine de mètres de profondeur, parfois plus.

Mais comment les fous peuvent-ils pénétrer dans l'eau à une telle vitesse sans dommages ? De nombreuses adaptations apportent les réponses : pour supporter l'impact, l'avant du crâne est renforcé et le bec est massif ; pour éviter que l'eau ne rentre dans les narines, celles-ci sont doublées de plaques osseuses ; autre amortisseur remarquable, un réseau de poches d'air situées sous la peau, reliées aux sacs aériens qui prolongent les poumons : la tête, le cou et la poitrine sont ainsi efficacement protégés ! Enfin, ces poches d'air ont un grand rôle dans la flottabilité du fou, lui permettant par exemple de remonter à la surface sans effort...

D'autres oiseaux de mer plongent pour saisir leurs proies, comme les phaétons. Fréquentant plutôt les mers tropicales, ces oiseaux gracieux sont munis de deux très longs filets de queue. La bande noire cernant les yeux, les taches noires sur les ailes et le bec coloré confèrent à leur plumage d'étonnants contrastes. Comme chez les fous et les pélicans, l'impact causé par le plongeon des phaétons est amorti par un coussinet de poches à air sur le devant du corps, à la manière de nos airbags modernes, protégeant les automobilistes en cas de choc.

## Champions de natation

Les manchots sont assurément parmi les oiseaux les plus aquatiques : certains passent les trois quarts de leur vie en mer, seules la nidification et la mue nécessitent des escales terrestres. Recherchant krills, poissons

et poulpes en profondeur, ils sont eux aussi d'excellents plongeurs, la palme revenant au manchot empereur qui peut dépasser 300 mètres.

Toutefois, cette silhouette étonnante, en forme de fusée, confère surtout aux manchots d'extraordinaires talents de nageurs. Ramant exactement de la même manière que s'ils battaient des ailes en l'air, les manchots volent littéralement sous l'eau à des vitesses qui peuvent approcher les trente kilomètres/heure. Leurs ailes aplaties et résistantes, recouvertes de petites plumes aussi fines que des écailles et disposées comme des tuiles, sont devenues de véritables

*Page précédente* : le phaéton, également appelé « paille en queue », en référence à ses deux très longs filets de queue.

*Ci-dessus* : les manchots du Cap viennent d'arriver sur la plage où ils se reproduisent.

nageoires. Elles propulsent efficacement les manchots, tandis que les pattes arrière servent de gouvernail. Quel spectacle impressionnant de les voir virer de bord à toute vitesse, poursuivant un poisson avec souplesse et agilité…

# ASSOCIATIONS, RASSEMBLEMENTS ET VOYAGES EXTRAORDINAIRES

Il n'existe pas d'animal autonome, sans relations avec son environnement. Chacun est un maillon du milieu au sein duquel il évolue et interfère avec les membres de son espèce, avec d'autres espèces animales, ainsi qu'avec d'autres organismes vivants, comme les plantes ou les champignons. Nombreux sont les exemples d'associations entre membres d'espèces différentes qui établissent des règles de dépendance souvent étonnantes, depuis la simple cohabitation jusqu'à la symbiose.

Au sein d'une même espèce, on peut assister à des rassemblements extraordinaires : certaines espèces sont grégaires durant toute leur vie, d'autres se réunissent pour le temps de la reproduction, d'autres encore pour passer l'hiver. Pour les animaux qui chassent ou pêchent en groupe, l'union fait la force et l'efficacité. Toutefois, certains n'ont pas choisi de se rassembler, mais y sont contraints par des contingences climatiques extrêmes…

Enfin, moult représentants du monde animal – mammifères, oiseaux, reptiles ou insectes – unissent leurs forces pour effectuer

123

deux grands voyages dans l'année ; c'est le temps de la migration, pour aller quérir sous des cieux plus cléments une nourriture qui se fait rare, puis pour revenir donner la vie.

# SYMBIOSES ET ASSOCIATIONS

Qu'elles soient durables ou occasionnelles, les relations entre deux espèces offrent souvent le spectacle de couples particulièrement insolites. Une cohabitation pour le moins étonnante fait partager le même terrier à des renards et des blaireaux. Le commensalisme est une relation de dépendance plus poussée : l'animal profite des restes alimentaires d'un autre, mais sans le gêner, comme la mouette ivoire du grand Nord qui suit l'ours polaire dans ses pérégrinations et se nourrit des vestiges des repas du plantigrade. Quant à la symbiose, c'est une coopération active qui profite à chacun des partenaires, à l'instar du pluvian d'Égypte qui nettoie les dents du crocodile du Nil ou du pique-bœuf débarrassant les animaux de la savane de leurs parasites, en échange de quoi ils sont nourris. Cette coopération est parfois indispensable à la survie de l'un des protagonistes ou des deux ; ainsi le poisson-clown serait particulièrement vulnérable sans la protection de l'anémone de mer…

### Les liaisons dangereuses d'un clown

Dans l'univers peuplé et compétitif des récifs coralliens, de nombreuses espèces assurent leur survie en « contractant » des mariages d'intérêt réciproque. Ainsi, les amphiprions, plus communément appelés poissons-clowns en raison de leur livrée orange bariolée de

*Double page précédente* : une colonie mixte en Basse-Californie : otaries de Californie (devant) et éléphants de mer septentrionaux (à l'arrière).
*Ci-contre* : un poisson-clown à l'abri dans les tentacules de son anémone de mer.

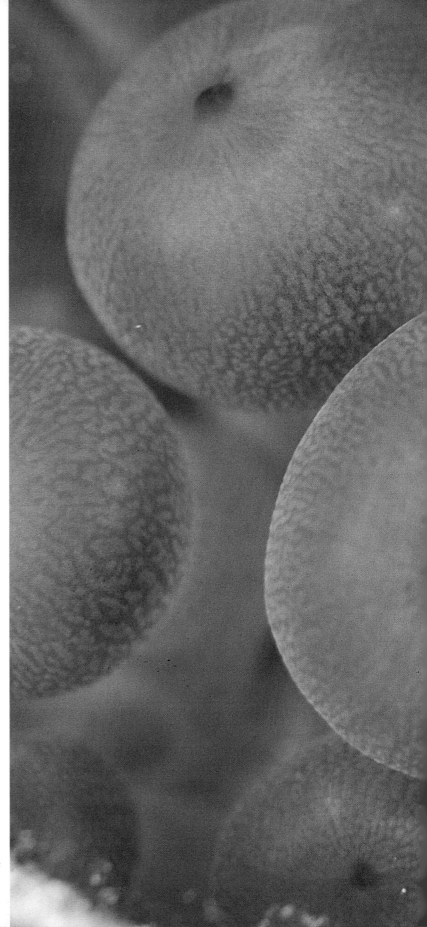

blanc et de leur « humeur joyeuse », ont élu domicile en toute sérénité au sein des tentacules hautement urticants des grandes anémones de mer, qui sont pourtant des pièges mortels pour les autres poissons.

En fait, le poisson-clown se protège de l'effet toxique des tentacules de l'anémone en s'enduisant régulièrement de mucus, substance qu'il trouve sur place, puisqu'elle est secrétée par les anémones à la base de leurs tentacules, afin qu'elles ne s'empoisonnent pas elles-mêmes... En revanche, s'il vient à perdre ce mucus pour une raison ou pour une autre, l'amphiprion est aussitôt paralysé et dévoré.

Somme toute, les deux espèces ont scellé un pacte hors du commun, lentement mis en place au cours de l'évolution des récifs coralliens. L'anémone de mer offre un refuge très sûr au poisson-clown, au sein duquel il abritera son couple et pondra ses oeufs, sans aucune crainte des prédateurs. En contrepartie, l'anémone bénéficie d'un nettoyage en profondeur et d'un chien de garde efficace : le « clown » fait non seulement disparaître les parasites et les reliefs de repas, mais témoigne aussi d'une combativité et d'une témérité étonnante pour un poisson qui mesure à peine dix centimètres. Ainsi, les poissons-papillons – pré-

126

dateurs connus des anémones de mer – n'ont qu'à bien se tenir. Même les plongeurs, géants qui devraient l'effrayer, sont « sommés » de quitter le territoire ; certains racontent que des poissons-clowns ont poussé l'audace jusqu'à donner des petits coups (de semonce...) sur leur masque !

Ultime adaptation de ce poisson décidément extraordinaire, il est capable de changer de sexe – il n'est toutefois pas le seul dans le monde des poissons – si la survie de sa cellule familiale est en jeu. Au cas où la femelle disparaît, le mâle devient femelle, et le dominant des jeunes mâles sera son partenaire...

*Ci-dessus* : un crabe symbiotique à l'abri sous son anémone de mer.
*Page précédente* : à l'instar des poissons-clowns, cette crevette vit en association avec une anémone de mer.

Près de trente espèces de poissons-clowns sont répertoriées sous les tropiques, et toutes sont en symbiose avec des anémones de mer. Cependant, d'autres organismes sont associés aux actinies (le nom savant des anémones de mer), comme certains crabes et de nombreuses espèces de crevettes, qui profitent également de cette protection contre les prédateurs.

## Fleuristes nocturnes

Environ mille espèces de chauves-souris existent dans le monde, dont plus d'un quart ont un régime alimentaire qui dépend des végétaux. Mangeurs de fruits et buveurs de nectars, ces mammifères se répartissent sur l'ensemble des zones tropicales et équatoriales, comme les « renards volants », grandes chauves-souris de l'Ancien Monde, ainsi appelées en raison de la ressemblance de leur tête avec celle du canidé. Quelques-unes d'entre elles ont également été baptisées « roussettes », compte tenu de leur couleur dominante. Ce sont les géantes des chauves-souris, avec un corps dont la longueur totale peut atteindre quarante centimètres et l'envergure plus d'un mètre cinquante.

Toutes se nourrissent de fruits sauvages, se léchant avec application après leurs festins, comme des chats. On estime qu'elles mangent leur propre poids en fruits en une seule nuit ! Les fruits sont surtout consommés lorsqu'ils sont mûrs, et sont nombreux à être appréciés par ces frugivores : bananes, figues, dattes, papayes, mangues, goyaves… D'autres chauves-souris de l'Ancien Monde sont nectarivores, de même que les glossophages en Amérique du Sud : elles sont attirées par l'odeur suave et enivrante des fleurs, dont elles pompent le nectar grâce à un nez allongé et une longue langue râpeuse. Lorsque ces chauves-souris butinent, les fleurs dispersent le pollen sur la fourrure de leur dos ou sur leur tête ; de fleur en fleur et d'arbre en arbre, la pollinisation sera ainsi assurée.

Tandis que les oiseaux et les insectes pollinisent le jour, les chauves-souris végétariennes jouent le rôle de fleuristes nocturnes. Certaines plantes sont étroitement associées à une espèce. Ainsi des roussettes de Mayotte ne pollinisent que les fleurs de baobab, de grandes fleurs blanches avec des étamines en forme de plumeaux, qui ne s'ouvrent que la nuit. Tout se passe donc comme si l'animal et le végétal avaient signé un pacte mutuel : le développement des plantes est en effet largement favorisé par les chauves-souris végétariennes qui, en les visitant, les aident à se reproduire et à s'implanter sur de nouveaux territoires. Disperser les graines des fruits qu'elles ingèrent, polliniser les fleurs dont elles prélèvent le nectar, telles sont leurs missions essentielles, qui contribuent à maintenir la forêt en bonne santé…

## Des oiseaux gourmands

Chez les oiseaux aussi, on trouve des consommateurs de nectar. C'est le cas dans la famille des méliphagidés, composée d'oiseaux munis d'un bec allongé, pointu et recourbé et d'une langue très longue qui se termine en pinceau et dont les bords s'enroulent pour former deux gouttières : l'attirail parfait pour aspirer le nectar. Caractéristiques de l'Océanie, ces oiseaux possèdent toutefois quelques représentants en Afrique du Sud, appelés « sugarbirds », en référence à leurs habitudes alimentaires, et promerops pour les francophones, ce qui est nettement moins poétique… Comme les autres animaux nectarivores, ils jouent un grand rôle dans la pollinisation de la flore qu'ils visitent. Les protées, superbes fleurs d'Afrique australe qui peuvent atteindre vingt centimètres de diamètre, sont ainsi pollinisées par les sugarbirds ; certaines espèces de protées ne sont même pollinisées que par ces oiseaux, c'est dire l'importance du rôle de ces derniers…

# RASSEMBLEMENTS EXTRAORDINAIRES

Les rassemblements d'animaux comportent des avantages qui n'ont pas échappé à un certain nombre d'espèces : diminuer les risques de prédation, améliorer l'efficacité de la quête alimentaire et augmenter les chances de reproduction et de survie de l'espèce sont parmi les bénéfices majeurs de la vie en groupe.

Selon la nature et la complexité des relations entre les membres d'un groupe (comportements, communication…), on dis-

Ce « sugarbird » semble poser
sur une fleur de protée.

tingue différents degrés d'interaction, depuis les simples rassemblements temporaires jusqu'aux véritables sociétés animales. Ainsi, lions
de mer et guillemots ne se regroupent que pendant la période de la
reproduction. Les aras multicolores d'Amérique du Sud, en
revanche, mènent une vie sociale, sauf pour se reproduire. Certaines
espèces de pélicans s'associent pour s'alimenter, pratiquant la pêche
collective…

## Harems pour « petites oreilles »

Les phoques, otaries et morses se sont adaptés au milieu aquatique,
comme le montrent leur corps fuselé et leurs membres transformés
en nageoires : l'ordre auquel ils appartiennent, les pinnipèdes, signifie « pied en forme de nageoire ». Toutefois, ils reviennent toujours
à terre pendant la saison de reproduction. Les otaries se distinguent
des phoques par la présence de pavillons auriculaires – d'où leur
nom d'otaries, « petites oreilles » –, leur museau en général allongé
et pointu, ainsi que leurs longues nageoires qu'elles peuvent plier.
Ces nageoires leur permettent presque de marcher « à quatre
pattes », alors que les phoques rampent lors de leurs déplacements
terrestres. En outre, les otaries présentent un dimorphisme sexuel
très prononcé, les mâles étant beaucoup plus imposants que les
femelles. Deux sous-familles divisent les otaries : les lions de mer et
les otaries à fourrure, qui diffèrent par leur pelage, lisse pour les premiers et hirsute pour les seconds.

Les otaries passent la plus grande partie de l'année dans l'eau.
Mais, pour la reproduction, ces animaux qui vivent isolément ou en
petits groupes lorsqu'ils sont en pleine mer, s'assemblent par milliers

*Page précédente* : une colonie d'otaries
à fourrure du Cap.

*Ci-contre* : des otaries à fourrure du Cap, en Namibie ;
les petits pavillons auriculaires
sont caractéristiques de l'espèce.

131

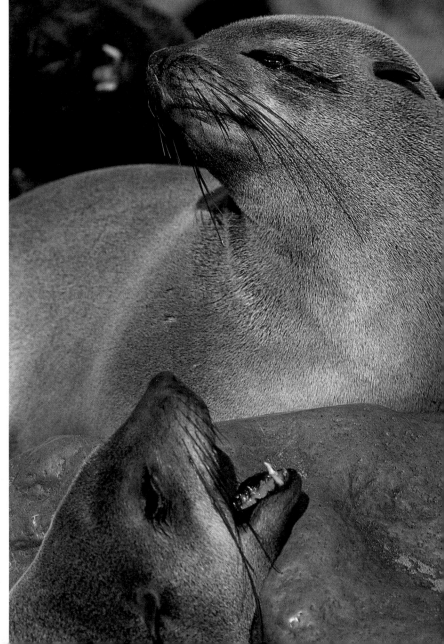

sur des plages relativement petites, se bousculant et criant d'excitation ; les mâles prennent d'abord possession d'un territoire pour y accueillir les femelles et constituer un harem qui, selon les espèces, peut varier de trois ou quatre femelles à plus de cent cinquante. Ensuite, la tâche sera rude, puisqu'ils devront écarter leurs rivaux, souvent au prix de violentes bagarres, et empêcher les femelles de quitter le harem, ne prenant pas le temps de s'alimenter…

Plusieurs avantages ont été avancés par les biologistes pour tenter d'expliquer la nécessité de ces rassemblements saisonniers, parfois immenses. Tout d'abord, les femelles se stimulent entre elles en émettant par les pores de leur peau des hormones sexuelles qui déclenchent leur ovulation. D'autre part, les grands rassemblements permettent un brassage favorable à la bonne santé génétique de l'espèce. Et puis, compte tenu de l'exiguïté des aires de reproduction par rapport au nombre de candidats à la procréation, les mâles sont obligés de se défier et seuls les plus forts se reproduiront, favorisant ainsi la sélection naturelle. Enfin, l'effet de masse dissuade probablement certains prédateurs…

### Des falaises recouvertes de guillemots

Les premiers contacts avec des colonies d'oiseaux de mer sont toujours riches en émotions et en sensations. Au fur et à mesure que l'on approche des parois rocheuses, on est envahi par le vacarme assourdissant des cris stridents ou rauques de milliers d'oiseaux qui tournoient, vont et viennent sans cesse. On est également saisi par l'odeur fortement ammoniaquée du guano. La moindre cor-

*Ci-contre :* guillemots de Troïl et guillemots de Brünnich occupant une corniche au nord de l'Islande.

*Double page suivante :* dans les falaises du Labrador, les colonies de guillemots de Brünnich peuvent atteindre plusieurs centaines de milliers d'individus.

132

niche, la moindre saillie de rocher sont occupées par des oiseaux qui couvent ou nourrissent. Guillemots et pingouins sont des hôtes caractéristiques de ces colonies. Ils appartiennent à la famille des alcidés, qui peuple les eaux froides de l'hémisphère Nord, et dont les membres présentent tous la même physionomie : dressés sur leur derrière, les pattes très en arrière du corps, le ventre blanc et le dos sombre. Leurs petites ailes battent très rapidement, produisant un vol ronflant, et sont également utilisées pour se mouvoir sous l'eau, car ils plongent à merveille pour capturer de petits poissons.

Les guillemots sont des oiseaux strictement marins, qui vivent au large des côtes pendant les deux tiers de l'année et ne s'en rapprochent qu'à la fin de l'hiver, juste avant la période de reproduction. Ils colonisent alors les corniches étroites des falaises, serrés les uns contre les autres en très grand nombre, parfois des centaines de milliers. L'œuf unique est déposé à même le roc ; il est très souvent bousculé compte tenu de la promiscuité des oiseaux, mais sa forme en poire limite les dégâts, car elle lui permet de basculer d'un côté et de l'autre sans rouler. Deux espèces très proches, le guillemot de Troïl et le guillemot de Brünnich, se répartissent dans l'Atlantique

136

Nord : le premier fréquente des eaux plus chaudes, jusqu'à nos côtes de Bretagne, tandis que le second est plus arctique. Il arrive que les deux espèces cohabitent, comme en Islande ; elles nicheront sur les mêmes corniches, mais ne s'hybrideront absolument pas.

Les guillemots choisissent l'emplacement de leurs colonies en fonction de la richesse des eaux en poissons, et de l'orientation face aux vents dominants (pour faciliter le décollage depuis la falaise). Cette vie en colonies très importantes présente des avantages : le repérage des proies en mer est facilité pour les oiseaux qui observent leurs congénères et communiquent ; les prédateurs ailés, comme les

*Page précédente* : la forme en poire de l'œuf que couve chacun de ces guillemots lui permet de ne pas tomber, même sur cette étroite corniche au Spitzberg.

*Ci-dessus* : les guillemots appartiennent à la famille des Alcidés, qui peuple les eaux froides de l'hémisphère Nord.

goélands, s'attaquent beaucoup moins facilement à des groupes qu'à des oiseaux isolés ; la concentration joue un rôle dans la quête d'un partenaire, surtout pour les jeunes adultes inexpérimentés. En revanche, la promiscuité favorise la transmission de maladies, et il arrive que des colonies entières soient décimées.

picales d'Amérique. Tous les aras ont un énorme bec en faucille dont ils se servent avec beaucoup d'habileté, et une longue queue en forme de sabre. Comme les autres perroquets, ils forment des bandes assez nombreuses durant toute l'année, sauf pendant la saison des amours. En général, ils sont unis pour la vie. Même lorsqu'ils vivent en groupe, ils restent en couple, volant et recherchant leur nourriture en couple. Ils sont spécialisés dans la cueillette des graines : leur bec crochu est capable de casser les noix les plus dures pour les atteindre. Plutôt que de trier les graines comestibles des toxiques, ils les avalent toutes, puis s'envolent après chaque repas vers les falaises d'argile qui bordent les rivières, et en avalent de grandes quantités. L'argile a la propriété d'absorber les toxines contenues dans les graines, et les perroquets peuvent ainsi digérer sans craindre les maux d'estomac !

L'ara macao, l'ara ararauna, l'ara militaire, l'ara rouge et vert ou l'ara hyacinthe, pour ne citer qu'eux, rivalisent de beauté. L'apparition d'un vol d'aras groupant des dizaines d'oiseaux aux couleurs flamboyantes est un spectacle inoubliable.

## Pêche collective avec une drôle d'épuisette

La famille des pélicans regroupe sept espèces. Nul n'ignore la physionomie de ces grands voiliers aux courtes pattes et aux larges ailes arrondies, munis d'un long cou et surtout de ce fameux bec portant une grande poche extensible sous la mandibule inférieure. Les plus imposants pèsent jusqu'à douze kilogrammes et ont un appétit étonnant, absorbant une quantité extraordinaire de poissons de toutes tailles grâce à leur technique particulière de pêche à l'épuisette avec leur poche. Ils sont également capables de plonger en piqué comme les fous, mais moins profondément.

### Bandes de perroquets

Les perroquets embellissent les forêts de leurs couleurs chatoyantes et les animent avec leurs jacassements bruyants. Ils mènent presque tous une vie sociale, se rassemblant en bandes parfois très nombreuses pendant toute l'année, sauf pendant la saison des amours. Ils parcourent chaque jour un vaste périmètre, à l'intérieur duquel les différentes bandes vivent toujours en bonne intelligence. En cas de danger, les oiseaux s'entraident mutuellement. Le soir, ils rejoignent tous ensemble leur abri nocturne, mieux armés en groupe contre les éventuels prédateurs ou intrus.

Les aras sont les plus colorés de tous les perroquets. On en connaît une quinzaine d'espèces, qui vivent toutes dans les forêts tro-

*Ci-contre* : un Ara ararauna en Guyane.

*Page suivante* : ces aras viennent consommer des minéraux sur ces falaises friables, au Pérou.

Les pélicans sont généralement très sociables et certaines espèces, comme le pélican blanc ou le pélican d'Amérique, ont adopté une technique de pêche collective. Par groupes d'une dizaine d'individus ou en bandes plus nombreuses, ils se disposent en fer à cheval ou en arc de cercle à la surface de l'eau. Nageant lentement et en parfaite synchronisation, ils convergent vers la rive en effrayant les poissons avec des grands battements d'ailes frappant l'eau. Lorsque les poissons sont rassemblés dans des eaux plus basses, les pélicans les piègent en refermant les branches du fer à cheval et se servent dans le tas, toujours en parfaite harmonie, les récoltant dans leur poche gulaire, véritable épuisette naturelle…

## Se tenir chaud par milliers

Qu'il s'agisse d'hiberner ou de se reproduire, qu'elles mangent des fruits ou qu'elles chassent des insectes, les chauves-souris sont assurément des animaux grégaires ; elles recherchent la compagnie des individus de leur propre espèce, se mêlant même parfois à des chauves-souris d'espèces différentes.

Dans les régions tropicales, les chauves-souris se perchent ensemble dans les arbres, tels de gros fruits allongés pendant par grappes bruyantes, et s'étalant sur des centaines de mètres. En cas de danger, les étranges grappes se disloquent et les chauves-souris se mettent à voleter, obscurcissant complètement l'atmosphère. D'autres espèces se réfugient dans des grottes ou des sites cavernicoles naturels de grande dimension, se rassemblant sur les parois en nombres extraordinaires : plusieurs centaines de milliers, voire plusieurs millions d'individus pour un même gîte. On trouve également quelques colonies géantes dans des constructions humaines, comme les vieux temples et autres bâtiments désaffectés ou peu fréquentés.

Dans les zones tempérées, plus froides, ce grégarisme a une raison bien identifiée : été comme hiver, vivre nombreux permet de garantir des conditions de température optimisées. En été, la vie collective limite les déperditions de chaleur en cas de mauvais temps. Les

centaines ou les milliers de corps agglutinés les uns aux autres, réchauffent la température du groupe, et favorisent l'élevage des petits dans de bonnes conditions. Carrières souterraines à l'abandon, anciennes mines, vieux puits sont ainsi colonisés, mais les constructions humaines, plus favorables du point de vue thermique, sont aussi fréquentées.

En hiver, les colonies luttent plus efficacement contre le froid que les individus isolés. De plus, dès que la température extérieure descend en dessous de 10 °C, les chauves-souris rentrent en hibernation, afin d'économiser au mieux leur énergie. Non seulement il fait froid, mais les insectes se font rares : pas d'autre solution que la vie au ralenti. La température du corps descend à quelques degrés seulement et le nombre des battements du cœur baisse considérablement. Économie fort efficace : il a été calculé que les chauves-souris ne dépenseraient pas plus de calories en un mois d'hibernation qu'en une heure de vol...

*Double page précédente* : un groupe de pélicans blancs d'Amérique, sur un banc de sable en Basse-Californie.
*Page précédente* : un pélican brun, au Pérou.
*Ci-dessus* : une colonie de rhinolophes.

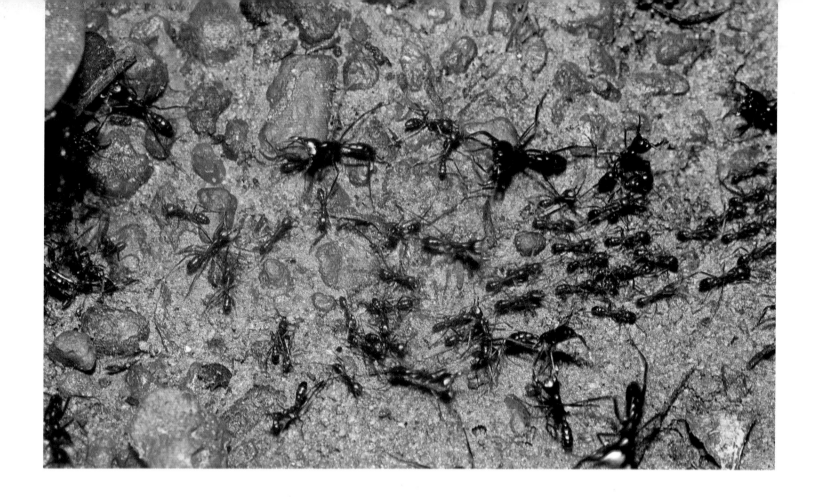

# DES LÉGIONNAIRES SANS PITIÉ

Plus de dix mille espèces de fourmis ont été recensées dans le monde, toutes ayant une structure sociale très élaborée, vivant au sein de colonies pouvant atteindre plusieurs millions d'individus. Certaines espèces sont végétariennes, la plupart sont omnivores, mais on trouve quelques espèces exclusivement carnivores, dont les fameuses fourmis légionnaires, qui ont des représentantes en Afrique et en Amérique tropicale. L'organisation extraordinaire et l'étonnante coopération existant entre les fourmis légionnaires d'une colonie ont tellement impressionné certains entomologistes qu'ils les ont comparées à un super-organisme cohérent, doté d'un unique centre de commandement, pesant plus de vingt kilogrammes et armé de millions d'aiguillons et de mandibules...

Les fourmis légionnaires dévorent toutes les substances animales qu'elles rencontrent. L'animal qui ne parvient pas à s'échapper est dévoré vivant. En quelques heures, un animal domestique enchaîné ou un serpent alourdi par sa digestion sont réduits à l'état de squelette. Toutefois, les principales victimes des légionnaires sont les petits animaux qui n'ont pas le temps de s'enfuir, et plus particulièrement les abeilles, les guêpes, les termites et les autres fourmis dont les légionnaires envahissent les nids pour faire un festin avec leurs larves.

Selon les espèces, les fourmis légionnaires progressent lors de leurs razzias en une seule colonne, comme un épais cordon sombre serpentant à une vitesse de plusieurs mètres à l'heure, ou en masse sur un large front. Tout est organisé : les castes de soldats progressent sur les flancs de la troupe, défendant les ouvrières contre toute menace avec leurs mandibules impressionnantes. Les soldats aident également la troupe à franchir les obstacles

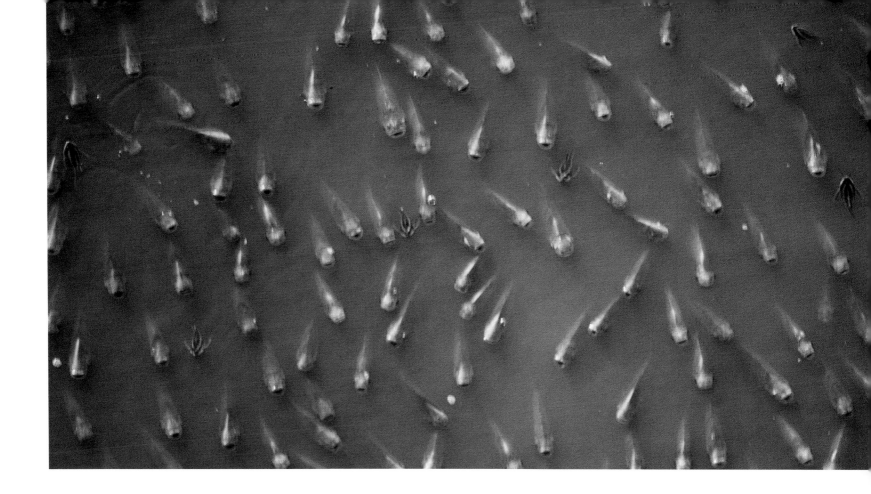

en formant avec leurs corps des ponts ou des barrières. Chaque animal rencontré est découpé en menus morceaux et ramené au bivouac.

Contre toute attente, ces millions de petites pattes qui progressent produisent un vacarme extraordinaire, accompagné par les bourdonnements et les cris d'alarme de tous les animaux dérangés ; la colonie est annoncée de loin !

## Piège en eaux troubles

Dans les Llanos, vastes plaines inondables du bassin de l'Orénoque au Venezuela, les saisons sont extrêmement marquées. La pluviométrie est très importante et, lors de la saison des pluies, les Llanos sont largement inondées ; les poissons se développent en grand nombre et la vie terrestre se concentre sur les rares îlots émergés. En saison sèche, on assiste au phénomène exactement inverse : les animaux terrestres se répandent et les étendues d'eau se réduisent comme peau de chagrin, ne laissant que quelques mares et poches d'eau au sein desquelles des centaines de poissons sont piégés, incapables de s'enfuir, parfois incapables de se mouvoir tellement ils sont serrés les uns contre les autres. Le malheur des poissons fera le bonheur des prédateurs de toutes sortes, qui profiteront de cette manne sans aucun effort : caïmans, hérons, jabirus, mais aussi les pêcheurs du coin ! Ainsi, certains rassemblements ne sont en aucun cas une stratégie, mais seulement le fruit des aléas saisonniers et climatiques…

*Page précédente* : une redoutable colonie de fourmis magnan, en Côte-d'Ivoire.

*Ci-dessus* : poissons pris au piège dans un étang en voie d'assèchement des Llanos.

# VOYAGEURS AU LONG COURS

Le phénomène migratoire est assez répandu chez les animaux. Les voyages cycliques – souvent extraordinaires – accomplis aussi bien par des oiseaux et des insectes que par des mammifères et des reptiles, sont généralement liés à la recherche de sites favorables pour la reproduction, et de zones plus clémentes pour passer l'hiver. Toutefois, d'autres paramètres peuvent entrer en ligne de compte, comme la recherche de nourriture ou de nouveaux habitats, et l'aller-retour n'est pas une règle exclusive… Les voyages fantastiques de la sterne arctique, des oies et des grues, mais aussi des caribous ou des tortues de mer en sont autant d'exemples.

**La championne des pôles**

Nul oiseau n'accomplit plus grand voyage que la fabuleuse sterne arctique, symbole de l'immensité des océans ; depuis ses quartiers d'hiver en Antarctique jusqu'à ses territoires de reproduction dans l'Arctique, elle fait une migration de près de vingt mille kilomètres au-dessus des mers…

Tandis que mouettes et goélands sont bâtis pour nager, marcher et voler, leurs cousines les sternes sont surtout des spécialistes du vol. Elles excellent dans ce domaine, et leur grâce offre un spectacle des plus raffinés.

Élancée, avec une longue queue très échancrée, qui lui vaut de temps à autre d'être appelée hirondelle de mer, la sterne arc-

tique en plumage nuptial est munie d'un long bec fin de couleur carmin, et habillée d'une calotte noire et d'ailes gris argenté. Elle est friande de petits poissons, qu'elle capture en plongeant depuis les airs, souvent après avoir effectué un vol sur place « en saint-esprit ».

En hiver, elle va retrouver l'été antarctique, afin de profiter de la lumière permanente et de se nourrir facilement. Et lorsque notre printemps boréal arrive, l'oiseau voyageur fait le chemin en sens inverse, pour aller se reproduire dans tout l'Arctique, en colonies de plusieurs dizaines de couples qui nichent au sol, et défendent jalousement les œufs et les poussins, n'hésitant pas à agresser les intrus en les piquant de leur bec effilé.

Ainsi, la sterne arctique détient un double record : elle accomplit le plus long périple migratoire connu, et jouit du plus grand nombre d'heures de soleil, le tout en une année ! Lorsqu'on observe avec attendrissement cet oiseau si fin, apparemment si fragile, on a vraiment du mal à imaginer qu'il parcourt presque l'équivalent du tour de la terre chaque année…

*Page précédente* : la sterne arctique détient le record de la plus longue migration, nichant en Arctique et hivernant en Antarctique.

*Ci-dessus* : friande de petits poissons qu'elle capture en plongeant depuis les airs, la sterne arctique est aussi appelée hirondelle de mer, en raison de sa longue queue fourchue.

## Comme une oie blanche

Au printemps et à l'automne, la migration des oies des neiges est un
véritable événement au Québec. En effet, ces oies toutes blanches
avec le bout des ailes noir nichent dans la toundra arctique et vont
prendre leurs quartiers d'hiver sur les côtes du New Jersey, de
Caroline du Nord et de Virginie. Depuis des générations, elles ont
l'habitude de faire escale quelques semaines sur les bords du Saint-
Laurent, lors de la migration pré-nuptiale (printemps), et lors de la
migration post-nuptiale (automne). Les oies des neiges reprennent
ainsi des forces en consommant, à marée basse, les racines du scirpe
d'Amérique, une plante aquatique dont elles raffolent, se nourrissant aussi dans les champs alentour.

    Ces oiseaux sont très grégaires, aussi bien pendant la période de
nidification que pour accomplir cette longue migration nord-américai-
ne : il n'est pas rare d'en observer plusieurs dizaines de milliers à la fois.
De loin, le rivage ou les champs semblent couverts de neige ; puis, pour
une raison qui nous échappe souvent – un prédateur, un avion, un
intrus – les milliers d'oies s'envolent dans un vacarme assourdissant,
effectuant des figures aériennes enjolivées par les contrastes entre leur
blancheur immaculée et l'extrémité ébène de leurs ailes. Si, de surcroît,
l'observation s'effectue à l'automne, sur fond des couleurs flamboyantes
de l'été indien, le ballet des oies devient tout simplement féerique…

*Page précédente* : la migration des oies des neiges
pour atteindre l'Arctique ou en revenir passe
par les bords du Saint-Laurent, offrant un spectacle inoubliable.
*Ci-dessus* : pour reprendre des forces,
les oies des neiges consomment à marée basse les racines de plantes
aquatiques, et se nourrissent aussi dans les champs.

### Les grues, oiseaux légendaires

Il existe quinze espèces de grues, réparties à travers les cinq conti-
nents. Grands échassiers spectaculaires, à la démarche majestueuse
et aux appels sonores, elles sont réputées pour leurs danses nuptiales
extraordinaires et pour leur fidélité. Vénérées depuis longtemps par
de nombreux peuples, symboles de longévité et de bonheur en
Orient, les grues sont l'une des familles d'oiseaux les plus menacées,
à cause de la destruction progressive de leurs habitats.

Très grégaires, ce sont aussi de grandes migratrices, capables
de parcourir plusieurs milliers de kilomètres pour rejoindre leurs
quartiers d'hiver. Pour ce faire, certaines franchissent des chaînes
de montagne en haute altitude, à plus de sept mille mètres. Les
grues utilisent, pour leurs grands voyages, le vol en formation – la
fameuse figure en « V » – qui leur permet de réaliser de réelles
économies d'énergie. Dans cette configuration, l'oiseau situé
immédiatement derrière un autre profite de l'aspiration créée et

se donne ainsi moins de mal, ce qui est très important car les besoins énergétiques nécessaires pour les vols migratoires sont considérables. En outre, les grues sont merveilleusement profilées pour fendre l'air efficacement ; elles peuvent pratiquer le vol battu, mais aussi planer ou glisser sur les ascendances. Par vent favorable, les grues migratrices peuvent dépasser les cent kilomètres à l'heure !

*Page précédente* : un vol de grues sur fond de lune.

*Ci-dessus* : comme toutes les grues du monde, les grues du Japon sont vénérées. Elles sont en Orient symboles de longévité et de bonheur.

## Les marcheurs de l'Arctique

Le caribou d'Amérique et le renne d'Eurasie ne font qu'une seule et même espèce, répartie en sous-espèces géographiques. Le renne habite les régions septentrionales d'Europe, où il a été pendant longtemps le compagnon et la ressource principale des Lapons et d'autres peuples plus à l'est, en Sibérie, tandis que le caribou occupe tout le nord de l'Amérique du Nord, de l'Alaska au Nouveau-Québec. C'est le seul cervidé dont la femelle porte aussi des bois, toutefois moins développés que ceux de la splendide ramure du mâle. Ces bois servent à établir une hiérarchie sur les zones d'alimentation en hiver : les femelles aux ramures les plus développées auront accès en priorité aux lichens enfouis sous la neige. Les caribous sont parfaitement adaptés aux déplacements dans la taïga et la toundra. Leurs larges sabots font office de raquettes dans la neige

épaisse ; de plus, le bord est très coupant, ce qui leur permet de casser la glace pour glaner quelques lichens au cœur de l'hiver.

Éminemment sociables, les caribous vivent en troupeaux largement plus nombreux que ceux de tous les autres cervidés, et ceux de l'Arctique canadien effectuent de longs et fréquents déplacements. En réalité, la vie de ces rennes américains est une perpétuelle migration, destinée à offrir aux troupeaux les meilleures conditions de vie tout au

*Ci-dessus* : rennes broutant
dans leurs quartiers d'été au Spitzberg.

*Page suivante* : pour échapper à deux loups
qui le convoitaient, ce caribou du Nouveau-Québec
n'a pas hésité à traverser un bras de mer.

long de l'année. Ainsi, ces voyages seront fonction de la température, de l'épaisseur de la neige, des disponibilités alimentaires, de la présence des prédateurs (loups) et des hordes d'insectes piqueurs…

De manière générale, les animaux se regroupent dès la fin de l'hiver en troupes denses, comptant parfois plusieurs milliers d'individus, parfois beaucoup plus. Ils parcourent cinquante kilomètres par jour, n'hésitant pas à traverser les fleuves – ce sont de bons nageurs – et ne s'arrêtant que quelques heures pour se nourrir. Arrivé sur les secteurs de mise bas et d'estivage, le groupe se dissocie et les femelles s'en vont loin de la harde, qu'elles rejoignent lorsque les petits sont âgés d'une semaine. L'été est court dans le grand Nord et, bientôt, les caribous repartent vers leurs quartiers d'hiver, où les conditions seront plus clémentes, avec un sens de l'orientation infaillible qui leur permet de maintenir le cap même quand la visibilité est très réduite… En définitive, avec un parcours de 1 000 à 1 500 kilomètres par an, les caribous sont les plus grands migrateurs de tous les mammifères terrestres.

## Les tortues de mer et leurs mystères

Les tortues marines sont de loin les migratrices les plus impressionnantes parmi les reptiles. Tandis que les mâles passent leur vie entière en mer, les femelles ne quittent l'eau que pour pondre chaque année sur la même plage, abandonnant ensuite les œufs qui incuberont sans elles, et rejoignant les zones nourricières, souvent à plusieurs milliers de kilomètres. Les jeunes écloront ensuite tout seuls, devront sortir du trou de ponte et traverser la plage pour rejoindre la mer. C'est le moment où ils sont le plus vulnérables, happés par les prédateurs ailés ou terrestres lors de leur passage sur le sable, puis dévorés par les prédateurs marins : voilà pourquoi les œufs sont très nombreux – plus d'une centaine – assurant l'avenir de la descendance grâce au nombre. Ensuite, les petites tortues survivantes accompliront un long voyage pour rejoindre les adultes et, une fois adultes à leur tour, reviendront sur leur plage natale pour perpétuer l'espèce.

Les chercheurs se sont longtemps demandé comment les adultes, et surtout les jeunes tortues inexpérimentées, arrivaient à s'orienter. Comme beaucoup d'autres migrateurs, les tortues marines doivent utiliser la position du soleil ou des étoiles ; il semblerait qu'elles se fient également aux odeurs comme quelques poissons, mais aussi à la direction des vagues. Ce qui apparaît de manière plus sûre grâce à un certain nombre d'expériences réalisées, c'est l'utilisation par les tortues du champ magnétique terrestre, stable par tous les temps et de jour comme de nuit.

Bien des mystères restent à dévoiler, et nous sommes loin d'avoir fini de nous émerveiller en découvrant les extraordinaires inventions du monde animal…

*Ci-contre* : une tortue marine ; les mâles passent toute leur vie en mer, les femelles sortent de l'eau une fois chaque année pour pondre.
*Page suivante* : une tortue marine cherchant sa nourriture.

# GLOSSAIRE

**AMPHIBIENS :** Classe d'animaux vertébrés tétrapodes amphibies dont la peau nue, molle, humide est criblée de glandes à sécrétion visqueuse, dont la respiration est surtout cutanée, et qui subissent une métamorphose.

**ARCHÉOPTÉRYX :** Oiseau fossile du Jurassique, le premier connu, présentant encore certains caractères des reptiles (dents, longue queue) dont il est issu.

**ASCLÉPIADE :** Plante cultivée pour ses fleurs roses odorantes.

**CATALEPSIE :** Suspension complète du mouvement volontaire des muscles.

**CÉPHALOPODES :** Classe de mollusques, les plus évolués, à tête entourée de bras munis de ventouses.

**CHÉLICÈRES :** Crochets des araignées ou pinces des scorpions.

**COLÉOPTÈRES :** Ordre regroupant de très nombreux insectes, de taille variable, dont les élytres recouvrent, au repos, les ailes postérieures à la façon d'un étui.

**COLUBRIDÉS :** Famille de serpents dont les crochets venimeux sont absents ou implantés au fond de la bouche, telles les couleuvres.

**DIMORPHISME :** Propriété de certains corps, de certaines espèces animales ou végétales qui se présentent sous deux formes distinctes (dimorphisme saisonnier, sexuel).

**ÉCHIDNÉ :** Mammifère ovipare insectivore d'Australie et de Nouvelle-Guinée au long museau, ressemblant au hérisson.

**ÉLAPIDÉS :** Famille de reptiles portant à l'avant de la mâchoire supérieure deux forts crochets venimeux (cobras, mambas…).

**ÉLYTRE :** Aile antérieure dure et cornée des coléoptères qui ne sert pas au vol, mais recouvre et protège l'aile postérieure à la façon d'un étui.

**FRINGILLIDÉS :** Famille d'oiseaux (passereaux) à bec conique, de petite taille (bouvreuil, bruant, canari, chardonneret, moineau, pinson, serin, verdier…).

*Page précédente en haut* : un Brookesia à Madagascar.
*En bas* : une chenille au Cap de Bonne-Espérance.

**GECKO :** Lézard grimpeur portant aux doigts des quatre pattes des lamelles adhésives.

**HERPÉTOLOGIE (OU ERPÉTOLOGIE) :** Étude des reptiles et des amphibiens.

**HYMÉNOPTÈRES :** Ordre d'insectes caractérisés par la possession de deux paires d'ailes membraneuses brillantes (abeilles, fourmis…).

**KRILL :** Population de petits crustacés des mers arctiques.

**LAGOPÈDE :** Oiseau de taille moyenne, dont le tarse et les doigts sont couverts de plumes.

**LEMMING :** Petit mammifère rongeur des régions boréales, voisin du campagnol.

**LÉMURIENS :** Sous-ordre des mammifères primates, des régions tropicales, proches du singe.

**LICHEN :** Végétal complexe, formé de l'association d'un champignon et d'une algue vivant en symbiose, très résistant à la sècheresse, au froid et à la chaleur.

**LUCANE :** Coléoptère des chênes et des châtaigniers.

**MANGROVE :** Formation végétale caractéristique des littoraux marins tropicaux, où dominent les palétuviers surélevés sur leurs racines.

**MARIGOT :** Dans les régions tropicales, bras mort d'un fleuve.

**MÉLANINE :** Pigment brun foncé qui donne la coloration normale (pigmentation) à la peau, aux cheveux, à l'iris.

**MÉTABOLISME :** Ensemble des transformations chimiques et psycho-chimiques qui s'accomplissent dans tous les tissus de l'organisme vivant (dépenses énergétiques, échanges, nutrition…).

**MUCUS :** Liquide transparent, d'aspect filant, produit par les glandes muqueuses, et servant d'enduit protecteur à la surface des muqueuses.

**OCELLE :** Tache arrondie dont le centre et le tour sont de deux couleurs différentes (ailes de papillon, plumes d'oiseaux).

**ODONTOCÈTES :** Sous-ordre de mammifères constitué par les cétacés munis de dents.

**ORTHOPTÈRES :** Ordre d'insectes à élytres mous et à ailes postérieures pliées dans le sens de la longueur (sauterelles, criquets...).

**PASSEREAUX :** Ordre d'oiseaux généralement de petite taille.

**PHASME :** Insecte au corps allongé et frêle, imitant la forme des tiges sur lesquelles il séjourne.

**POSIDONIE :** Plante croissant dans l'eau de mer, notamment près des côtes méditerranéennes et australiennes, où elle constitue de vastes herbiers.

**PRIMATE :** Animal de l'ordre des mammifères placentaires, à dentition complète et à main préhensile.

**PROSIMIENS :** Ensemble des primates qui ne sont pas des singes vrais.

**ROSELIÈRE :** Lieu où poussent des roseaux.

**TANGARA :** Oiseau passereau d'Amérique du Sud, au plumage à vives couleurs.

**TOUNDRA :** Steppe de la zone arctique, entre la taïga et la limite polaire, dont le sol est gelé en profondeur une partie de l'année. Elle est caractérisée par des associations végétales de mousse et de lichens, des bruyère et de quelques plantes herbacées.

**ULTRAVIOLETS :** Radiations électromagnétiques dont la longueur d'onde se situe entre celle de la lumière visible (extrémité violette du spectre) et celle des rayons X.

**ZYGÈNE :** Papillon dont les antennes sont renflées en massue, qui sécrète un liquide volatil contenant de l'acide cyanhydrique (poison).

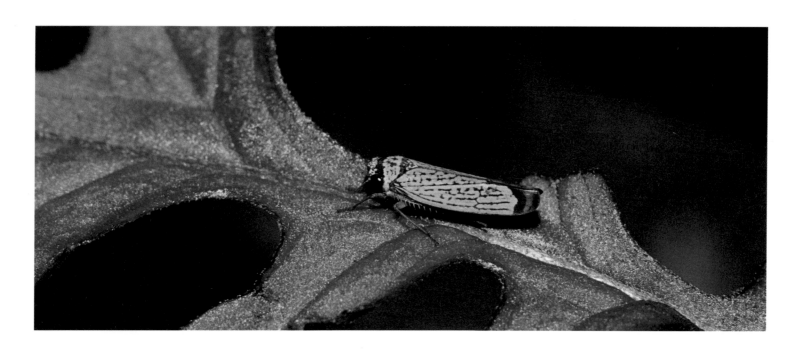

# INDEX

# CRÉDITS PHOTOGRAPHIQUES

Toutes les photographies sont de l'agence **Biotope** – ont participé :

**Michel Geniez** : 24, 25, 26-27, 28hd, 50, 54, 70, 71 ;

**Jean-Yves Kernel** : 18-19, 100, 109h, 109bg, 130, 139 ;

**Frédéric Larrey** : 9, 10-11, 13h et b, 14, 15, 17, 21bd, 28b, 30, 31, 32, 33, 34h et b, 40, 41, 44-45, 46, 47, 48, 49g et d, 51, 52-53, 59, 82g et d, 90, 102g et d, 103, 110-111, 119h, bg et bd, 120, 131h et b, 142, 156h ;

**Olivier Larrey** : 3, 4d, 6, 28hg, 38, 39, 55h, 56h, 57, 61g, 98-99 ;

**Frédéric Maxant** : 23, 124-125, 126, 127, 154, 155 ;

**Frédéric Melki** : 1$^{\text{ère}}$ de couverture, 4g, 7, 12h et b, 16, 20b, 21h, 22h, 29h et b, 58, 61d, 74, 75, 80-81, 83g et d, 85, 86, 91, 92, 93h, 94, 95, 96g et d, 97, 101, 104, 106-107, 109bd, 114, 115, 116, 121, 122-123, 129, 138, 144, 145, 156b ; **Thomas Menut** : 20h, 21bg, 22b, 55b, 68, 79, 93b ;

**Thomas Roger :** 150 ;

**Vincent Rufray** : 56b, 60g, 69, 72, 73h et b, 76, 77, 87, 143 ;

**Anne-Lise Ughetto** : 105

La photo de la page 117 vient de l'agence **BIOS** (**Cole**).

Les photos des pages 35, 36-37, 42, 43, 62, 63, 64h et b, 65, 66, 67, 88-89, 112, 113, 119hd, 132-133, 134-135, 136, 137, 140-141, 146, 147, 148, 149, 151, 152, 153.

Ont collaboré à l'ouvrage :
Édition : Monique Walch
Mise en pages : Ariane Aubert

Achevé d'imprimer en septembre 2004
Par Mateu Cromo (Espagne)
N° d'impression :